힘이 붙는 수학

연산

초등 3B

단계별 학습 내용

1 초1 수준

A	B
1단계 9까지의 수	1단계 100까지의 수
2단계 9까지의 수를 모으기, 가르기	2단계 덧셈과 뺄셈(1)
3단계 덧셈과 뺄셈	3단계 덧셈과 뺄셈(2)
4단계 50까지의 수	4단계 덧셈과 뺄셈(3)

2 초2 수준

A	B
1단계 세 자리 수	1단계 네 자리 수
2단계 덧셈과 뺄셈	2단계 곱셈구구
3단계 덧셈과 뺄셈의 관계	3단계 길이의 계산
4단계 세 수의 덧셈과 뺄셈	4단계 시각과 시간
5단계 곱셈	

3 초3 수준

A	B
1단계 덧셈과 뺄셈	1단계 곱셈
2단계 나눗셈	2단계 나눗셈
3단계 곱셈	3단계 분수
4단계 길이와 시간	4단계 들이
5단계 분수와 소수	5단계 무게

🐙 전체 학습 설계도를 보고 초등 수학의 과정을 알 수 있습니다.

4 초4 수준

A	B
1단계 큰 수	1단계 분수의 덧셈
2단계 각도	2단계 분수의 뺄셈
3단계 곱셈	3단계 소수
4단계 나눗셈	4단계 소수의 덧셈
	5단계 소수의 뺄셈

5 초5 수준

A	B
1단계 자연수의 혼합 계산	1단계 수의 범위
2단계 약수와 배수	2단계 어림하기
3단계 약분과 통분	3단계 분수의 곱셈
4단계 분수의 덧셈과 뺄셈	4단계 소수의 곱셈
5단계 다각형의 둘레와 넓이	5단계 평균

6 초6 수준

A	B
1단계 분수의 나눗셈	1단계 분수의 나눗셈
2단계 소수의 나눗셈	2단계 소수의 나눗셈
3단계 비와 비율	3단계 비례식
4단계 직육면체의 부피와 겉넓이	4단계 비례배분
	5단계 원의 넓이

이렇게 공부해 봐

1 개념 정리

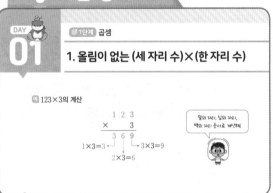

개념 정리 내용을 확인하며 계산 원리를 충분히 이해해요.

2 연산 학습

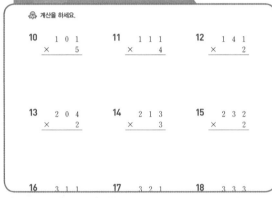

다양한 유형의 연산 문제를 통해 연산력을 강화해요. 매일 연산 학습을 반복하면 더 효과적으로 학습할 수 있어요.

3 생활 속 연산

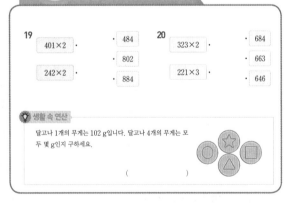

다양한 실생활 속 상황에서 연산력을 키워 문제를 해결해요.

4 마무리 연산

1단계 곱셈

마무리 연산

😊 계산을 하세요.

| 1 | 1 0 × 9 0 | 2 | 3 0 × 5 0 | 3 | 7 0 × 7 0 |

| 4 | 3 6 × 8 0 | 5 | 5 5 × 6 0 | 6 | 4 3 × 4 0 |

연산 학습을 잘했는지 문제를 풀어 보며 확인해요.

Contents 차례

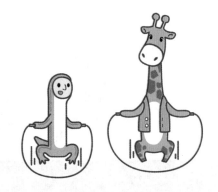

1

곱셈

계산 실수를 하지 않게
집중해서 풀어 보자!

학습 결과와 시간을 써 보세요!

학습 내용	학습 회차	맞힌 개수/걸린 시간
1. 올림이 없는 (세 자리 수)×(한 자리 수)	DAY 01	/
	DAY 02	/
2. 올림이 한 번 있는 (세 자리 수)×(한 자리 수)	DAY 03	/
	DAY 04	/
	DAY 05	/
	DAY 06	/
3. 올림이 두 번 있는 (세 자리 수)×(한 자리 수)	DAY 07	/
	DAY 08	/
4. 올림이 세 번 있는 (세 자리 수)×(한 자리 수)	DAY 09	/
	DAY 10	/
5. (몇십)×(몇십)	DAY 11	/
	DAY 12	/
6. (몇십몇)×(몇십)	DAY 13	/
	DAY 14	/
7. (몇)×(몇십몇)	DAY 15	/
	DAY 16	/
	DAY 17	/
8. 올림이 한 번 있는 (몇십몇)×(몇십몇)	DAY 18	/
	DAY 19	/
	DAY 20	/
9. 올림이 두 번 이상 있는 (몇십몇)×(몇십몇)	DAY 21	/
	DAY 22	/
	DAY 23	/
마무리 연산	DAY 24	/
	DAY 25	/

기초력 상승!

하나 둘! 하나 둘!

1단계 곱셈

1. 올림이 없는 (세 자리 수)×(한 자리 수)

예 123×3의 계산

$$
\begin{array}{r}
1\ 2\ 3 \\
\times\quad\ 3 \\
\hline
3\ 6\ 9
\end{array}
$$

$1 \times 3 = 3$ ←   ↓   → $3 \times 3 = 9$

$2 \times 3 = 6$

일의 자리, 십의 자리, 백의 자리 순서로 계산해!

🐙 계산을 하세요.

1
$$
\begin{array}{r}
1\ 1\ 4 \\
\times\quad\ 2 \\
\hline
2\ 2\ 8
\end{array}
$$

2
$$
\begin{array}{r}
1\ 2\ 2 \\
\times\quad\ 3 \\
\hline
\end{array}
$$

3
$$
\begin{array}{r}
1\ 4\ 2 \\
\times\quad\ 2 \\
\hline
\end{array}
$$

4
$$
\begin{array}{r}
2\ 1\ 4 \\
\times\quad\ 2 \\
\hline
\end{array}
$$

5
$$
\begin{array}{r}
2\ 2\ 1 \\
\times\quad\ 4 \\
\hline
\end{array}
$$

6
$$
\begin{array}{r}
2\ 4\ 3 \\
\times\quad\ 2 \\
\hline
\end{array}
$$

7
$$
\begin{array}{r}
3\ 0\ 1 \\
\times\quad\ 2 \\
\hline
\end{array}
$$

8
$$
\begin{array}{r}
3\ 1\ 2 \\
\times\quad\ 3 \\
\hline
\end{array}
$$

9
$$
\begin{array}{r}
3\ 4\ 1 \\
\times\quad\ 2 \\
\hline
\end{array}
$$

🐙 계산을 하세요.

10
$$\begin{array}{r} 1\ 0\ 1 \\ \times\ \ \ \ \ \ 5 \\ \hline \end{array}$$

11
$$\begin{array}{r} 1\ 1\ 1 \\ \times\ \ \ \ \ \ 4 \\ \hline \end{array}$$

12
$$\begin{array}{r} 1\ 4\ 1 \\ \times\ \ \ \ \ \ 2 \\ \hline \end{array}$$

13
$$\begin{array}{r} 2\ 0\ 4 \\ \times\ \ \ \ \ \ 2 \\ \hline \end{array}$$

14
$$\begin{array}{r} 2\ 1\ 3 \\ \times\ \ \ \ \ \ 3 \\ \hline \end{array}$$

15
$$\begin{array}{r} 2\ 3\ 2 \\ \times\ \ \ \ \ \ 2 \\ \hline \end{array}$$

16
$$\begin{array}{r} 3\ 1\ 1 \\ \times\ \ \ \ \ \ 2 \\ \hline \end{array}$$

17
$$\begin{array}{r} 3\ 2\ 1 \\ \times\ \ \ \ \ \ 3 \\ \hline \end{array}$$

18
$$\begin{array}{r} 3\ 3\ 3 \\ \times\ \ \ \ \ \ 2 \\ \hline \end{array}$$

19
$$\begin{array}{r} 4\ 0\ 4 \\ \times\ \ \ \ \ \ 2 \\ \hline \end{array}$$

20
$$\begin{array}{r} 4\ 1\ 1 \\ \times\ \ \ \ \ \ 2 \\ \hline \end{array}$$

21
$$\begin{array}{r} 4\ 1\ 2 \\ \times\ \ \ \ \ \ 2 \\ \hline \end{array}$$

22
$$\begin{array}{r} 4\ 2\ 3 \\ \times\ \ \ \ \ \ 2 \\ \hline \end{array}$$

23
$$\begin{array}{r} 4\ 3\ 0 \\ \times\ \ \ \ \ \ 2 \\ \hline \end{array}$$

24
$$\begin{array}{r} 4\ 4\ 3 \\ \times\ \ \ \ \ \ 2 \\ \hline \end{array}$$

🎯 **1단계** 곱셈

1. 올림이 없는 (세 자리 수)×(한 자리 수)

🐙 계산을 하세요.

1 101×3

2 110×6

3 133×3

4 140×2

5 203×3

6 212×4

7 224×2

8 231×3

9 302×3

10 312×2

11 323×3

12 330×3

13 414×2

14 432×2

🐙 계산 결과를 찾아 선으로 이으세요.

15

101×9 •

124×2 •

• 909

• 248

• 244

16

244×2 •

331×3 •

• 446

• 488

• 993

17

210×4 •

314×2 •

• 840

• 248

• 628

18

434×2 •

412×2 •

• 824

• 864

• 868

19

401×2 •

242×2 •

• 484

• 802

• 884

20

323×2 •

221×3 •

• 684

• 663

• 646

💡 생활 속 연산

달고나 1개의 무게는 102 g입니다. 달고나 4개의 무게는 모두 몇 g인지 구하세요.

(   )

 **1단계** 곱셈

2. 올림이 한 번 있는 (세 자리 수)×(한 자리 수)

예 219×2의 계산

$$
\begin{array}{r}
\overset{\textcircled{1}}{} \\
2\ 1\ 9 \\
\times\qquad 2 \\
\hline
4\ 3\ 8
\end{array}
$$

$2\times2=4 \longleftarrow \qquad \longrightarrow 9\times2=18$

$1\times2=2,\ 2+1=3$

일의 자리 수와의 곱이 10이거나 10보다 크면 십의 자리로 올림해!

🐙 계산을 하세요.

1

$$
\begin{array}{r}
1\ 1\ 3 \\
\times\qquad 4 \\
\hline
4\ 5\ 2
\end{array}
$$

2

$$
\begin{array}{r}
1\ 2\ 5 \\
\times\qquad 3 \\
\hline
\end{array}
$$

3

$$
\begin{array}{r}
1\ 4\ 7 \\
\times\qquad 2 \\
\hline
\end{array}
$$

4

$$
\begin{array}{r}
2\ 1\ 6 \\
\times\qquad 4 \\
\hline
\end{array}
$$

5

$$
\begin{array}{r}
2\ 2\ 4 \\
\times\qquad 3 \\
\hline
\end{array}
$$

6

$$
\begin{array}{r}
3\ 0\ 8 \\
\times\qquad 2 \\
\hline
\end{array}
$$

7

$$
\begin{array}{r}
3\ 2\ 5 \\
\times\qquad 2 \\
\hline
\end{array}
$$

8

$$
\begin{array}{r}
4\ 1\ 9 \\
\times\qquad 2 \\
\hline
\end{array}
$$

9

$$
\begin{array}{r}
4\ 3\ 6 \\
\times\qquad 2 \\
\hline
\end{array}
$$

🐙 계산을 하세요.

10　　　　1　0　5
　　×　　　　　5

11　　　　1　1　8
　　×　　　　　4

12　　　　1　2　6
　　×　　　　　3

13　　　　1　3　5
　　×　　　　　2

14　　　　1　3　9
　　×　　　　　2

15　　　　1　4　6
　　×　　　　　2

16　　　　2　0　3
　　×　　　　　4

17　　　　2　1　8
　　×　　　　　3

18　　　　2　2　3
　　×　　　　　4

19　　　　3　1　4
　　×　　　　　3

20　　　　3　1　7
　　×　　　　　3

21　　　　3　2　6
　　×　　　　　2

22　　　　4　1　7
　　×　　　　　2

23　　　　4　3　8
　　×　　　　　2

24　　　　4　4　5
　　×　　　　　2

🎯 **1단계** 곱셈

2. 올림이 한 번 있는 (세 자리 수)×(한 자리 수)

예 261×3의 계산

$$
\begin{array}{r}
{\scriptstyle①} \\
2\;6\;1 \\
\times\quad\;\; 3 \\
\hline
7\;8\;3
\end{array}
$$

$2×3=6,\,6+1=7$ ← $6×3=18$ → $1×3=3$

십의 자리 수와의 곱이 10이거나 10보다 크면 백의 자리로 올림해!

🐙 계산을 하세요.

1
$$
\begin{array}{r}
1\;\;2\;\;0 \\
\times\quad\;\; 5 \\
\hline
6\;\;0\;\;0
\end{array}
$$

2
$$
\begin{array}{r}
1\;\;3\;\;1 \\
\times\quad\;\; 4 \\
\hline
\end{array}
$$

3
$$
\begin{array}{r}
1\;\;8\;\;2 \\
\times\quad\;\; 3 \\
\hline
\end{array}
$$

4
$$
\begin{array}{r}
2\;\;3\;\;2 \\
\times\quad\;\; 4 \\
\hline
\end{array}
$$

5
$$
\begin{array}{r}
2\;\;6\;\;4 \\
\times\quad\;\; 2 \\
\hline
\end{array}
$$

6
$$
\begin{array}{r}
3\;\;7\;\;1 \\
\times\quad\;\; 2 \\
\hline
\end{array}
$$

7
$$
\begin{array}{r}
3\;\;6\;\;4 \\
\times\quad\;\; 2 \\
\hline
\end{array}
$$

8
$$
\begin{array}{r}
4\;\;5\;\;0 \\
\times\quad\;\; 2 \\
\hline
\end{array}
$$

9
$$
\begin{array}{r}
4\;\;8\;\;3 \\
\times\quad\;\; 2 \\
\hline
\end{array}
$$

🐙 계산을 하세요.

10
```
    1 4 1
  ×     6
```

11
```
    1 5 3
  ×     3
```

12
```
    1 8 4
  ×     2
```

13
```
    2 6 0
  ×     3
```

14
```
    2 7 3
  ×     3
```

15
```
    2 9 1
  ×     3
```

16
```
    3 5 1
  ×     2
```

17
```
    3 7 4
  ×     2
```

18
```
    3 9 3
  ×     2
```

19
```
    4 5 2
  ×     2
```

20
```
    4 6 2
  ×     2
```

21
```
    4 7 1
  ×     2
```

22
```
    4 8 0
  ×     2
```

23
```
    4 8 4
  ×     2
```

24
```
    4 9 2
  ×     2
```

◎ 1단계 곱셈

2. 올림이 한 번 있는 (세 자리 수)×(한 자리 수)

예 521×4의 계산

```
        5  2  1
     ×        4
     ②  0  8  4
```

5×4=20 ←──┐   ┌──→ 1×4=4

2×4=8

백의 자리 수와의 계산에서 올림한 수는 천의 자리에 쓰면 돼!

🐙 계산을 하세요.

1
```
      6  2  4
   ×        2
   1  2  4  8
```

2
```
      7  1  2
   ×        2
```

3
```
      5  1  0
   ×        5
```

4
```
      2  1  1
   ×        9
```

5
```
      4  0  2
   ×        4
```

6
```
      6  1  1
   ×        7
```

7
```
      5  2  3
   ×        2
```

8
```
      7  1  0
   ×        6
```

9
```
      3  2  1
   ×        4
```

🐙 계산을 하세요.

10
$$\begin{array}{r} 9\ 1\ 2 \\ \times \qquad 2 \\ \hline \end{array}$$

11
$$\begin{array}{r} 5\ 1\ 3 \\ \times \qquad 3 \\ \hline \end{array}$$

12
$$\begin{array}{r} 6\ 3\ 4 \\ \times \qquad 2 \\ \hline \end{array}$$

13
$$\begin{array}{r} 5\ 2\ 0 \\ \times \qquad 4 \\ \hline \end{array}$$

14
$$\begin{array}{r} 5\ 2\ 4 \\ \times \qquad 2 \\ \hline \end{array}$$

15
$$\begin{array}{r} 3\ 1\ 0 \\ \times \qquad 6 \\ \hline \end{array}$$

16
$$\begin{array}{r} 8\ 3\ 2 \\ \times \qquad 2 \\ \hline \end{array}$$

17
$$\begin{array}{r} 8\ 1\ 1 \\ \times \qquad 5 \\ \hline \end{array}$$

18
$$\begin{array}{r} 6\ 1\ 0 \\ \times \qquad 4 \\ \hline \end{array}$$

19
$$\begin{array}{r} 2\ 1\ 0 \\ \times \qquad 8 \\ \hline \end{array}$$

20
$$\begin{array}{r} 4\ 2\ 1 \\ \times \qquad 3 \\ \hline \end{array}$$

21
$$\begin{array}{r} 5\ 4\ 2 \\ \times \qquad 2 \\ \hline \end{array}$$

22
$$\begin{array}{r} 7\ 4\ 3 \\ \times \qquad 2 \\ \hline \end{array}$$

23
$$\begin{array}{r} 6\ 1\ 1 \\ \times \qquad 9 \\ \hline \end{array}$$

24
$$\begin{array}{r} 5\ 1\ 1 \\ \times \qquad 7 \\ \hline \end{array}$$

◎ 1단계 곱셈

2. 올림이 한 번 있는 (세 자리 수)×(한 자리 수)

🐙 계산을 하세요.

1 106×9

2 148×2

3 329×2

4 428×2

5 173×3

6 282×2

7 350×2

8 493×2

9 541×2

10 410×3

11 311×6

12 744×2

13 923×3

14 640×2

🐙 계산을 하세요.

15　119×2　◯

16　193×3　◯

17　215×3　◯

18　214×4　◯

19　241×3　◯

20　272×2　◯

21　140×4　◯

22　392×2　◯

23　620×3　◯

24　914×2　◯

💡 **생활 속 연산**

캠핑장에 3인용 텐트가 192개 있습니다. 텐트를 이용할 수 있는 사람은 모두 몇 명인지 구하세요.

（　　　　　　　　）

3. 올림이 두 번 있는 (세 자리 수)×(한 자리 수)

예 342×3의 계산

$$
\begin{array}{r}
\overset{1}{}\ \ \ \\
3\ 4\ 2 \\
\times\ \ \ \ \ 3 \\
\hline
1\ 0\ 2\ 6
\end{array}
$$

$3×3=9,\ 9+1=10 \longleftarrow$　$\longrightarrow 2×3=6$

$4×3=12$

각 자리 수와의 곱이 10이거나 10보다 크면 바로 윗자리로 올림해

🐙 계산을 하세요.

1
$$
\begin{array}{r}
1\ 4\ 6 \\
\times\ \ \ \ \ 3 \\
\hline
4\ 3\ 8
\end{array}
$$

2
$$
\begin{array}{r}
3\ 7\ 5 \\
\times\ \ \ \ \ 2 \\
\hline
\end{array}
$$

3
$$
\begin{array}{r}
1\ 8\ 4 \\
\times\ \ \ \ \ 5 \\
\hline
\end{array}
$$

4
$$
\begin{array}{r}
3\ 7\ 2 \\
\times\ \ \ \ \ 3 \\
\hline
\end{array}
$$

5
$$
\begin{array}{r}
9\ 0\ 5 \\
\times\ \ \ \ \ 2 \\
\hline
\end{array}
$$

6
$$
\begin{array}{r}
7\ 1\ 3 \\
\times\ \ \ \ \ 5 \\
\hline
\end{array}
$$

7
$$
\begin{array}{r}
7\ 9\ 2 \\
\times\ \ \ \ \ 2 \\
\hline
\end{array}
$$

8
$$
\begin{array}{r}
8\ 5\ 0 \\
\times\ \ \ \ \ 4 \\
\hline
\end{array}
$$

9
$$
\begin{array}{r}
9\ 8\ 3 \\
\times\ \ \ \ \ 2 \\
\hline
\end{array}
$$

🐙 계산을 하세요.

10
```
    4 8 6
×       2
```

11
```
    1 8 2
×       5
```

12
```
    2 3 4
×       4
```

13
```
    2 1 3
×       7
```

14
```
    9 2 4
×       4
```

15
```
    6 4 6
×       2
```

16
```
    3 0 8
×       9
```

17
```
    8 1 2
×       8
```

18
```
    5 4 7
×       2
```

19
```
    7 4 2
×       3
```

20
```
    7 7 1
×       7
```

21
```
    8 4 2
×       4
```

22
```
    8 7 3
×       3
```

23
```
    9 2 0
×       8
```

24
```
    9 6 2
×       2
```

🎯 **1단계** 곱셈

3. 올림이 두 번 있는 (세 자리 수)×(한 자리 수)

🐙 계산을 하세요.

1 284×3

2 369×2

3 153×4

4 398×2

5 429×3

6 514×5

7 849×2

8 712×6

9 170×9

10 342×4

11 451×5

12 593×2

13 894×2

14 970×6

🐙 계산을 하세요.

15 ×→

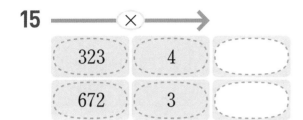

| 323 | 4 | |
| 672 | 3 | |

16 ×→

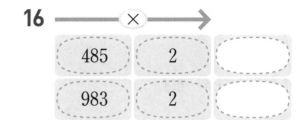

| 485 | 2 | |
| 983 | 2 | |

17 ×→

| 295 | 3 | |
| 926 | 2 | |

18 ×→

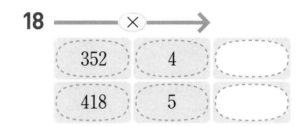

| 352 | 4 | |
| 418 | 5 | |

19 ×→

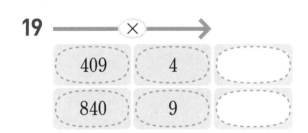

| 409 | 4 | |
| 840 | 9 | |

20 ×→

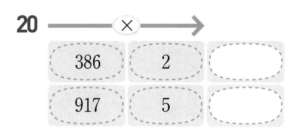

| 386 | 2 | |
| 917 | 5 | |

21 ×→

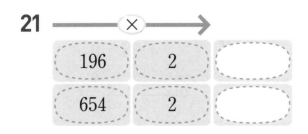

| 196 | 2 | |
| 654 | 2 | |

22 ×→

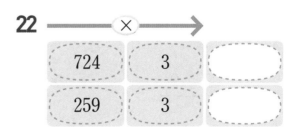

| 724 | 3 | |
| 259 | 3 | |

 **1단계** 곱셈

4. 올림이 세 번 있는 (세 자리 수)×(한 자리 수)

예 752×6의 계산

```
          ③ ①
        7  5  2
     ×        6
        ④  5  1  2
```

7×6=42, 42+③=45 ← ↓ → 2×6=①2

5×6=30, 30+①=31

각 자리 수와의 곱이 10이거나 10보다 크면 바로 윗자리로 올림해!

🐙 계산을 하세요.

1
```
    9  6  5
×        3
  2  8  9  5
```

2
```
    7  7  9
×        6
```

3
```
    8  9  5
×        2
```

4
```
    5  6  8
×        6
```

5
```
    2  4  8
×        8
```

6
```
    6  5  6
×        7
```

7
```
    3  7  7
×        9
```

8
```
    6  6  3
×        5
```

9
```
    4  1  9
×        9
```

🐙 계산을 하세요.

10
```
   3 7 2
 ×     8
```

11
```
   4 6 3
 ×     5
```

12
```
   6 7 4
 ×     3
```

13
```
   4 5 9
 ×     5
```

14
```
   6 9 7
 ×     2
```

15
```
   8 5 7
 ×     6
```

16
```
   9 1 2
 ×     9
```

17
```
   4 9 8
 ×     4
```

18
```
   3 2 5
 ×     9
```

19
```
   3 8 2
 ×     5
```

20
```
   2 1 6
 ×     8
```

21
```
   6 2 6
 ×     4
```

22
```
   9 2 8
 ×     5
```

23
```
   8 4 7
 ×     5
```

24
```
   5 3 4
 ×     7
```

1단계 곱셈

4. 올림이 세 번 있는 (세 자리 수)×(한 자리 수)

🐙 계산을 하세요.

1 555×5

2 953×8

3 218×8

4 396×5

5 293×4

6 776×4

7 833×7

8 698×5

9 395×5

10 537×8

11 846×3

12 434×7

13 256×6

14 519×9

🐙 계산을 하세요.

15

16

17

18

19

20

21

22

23

24

💡 **생활 속 연산**

소미네 가족은 주말에 수족관에 가서 즐거운 시간을 보냈습니다. 이 수족관의 하루 입장객이 795명이라면 일주일 동안 입장한 사람은 모두 몇 명인지 구하세요.

(　　　　　　　　　　)

🎯 **1단계** 곱셈

5. (몇십)×(몇십)

예 30×40의 계산

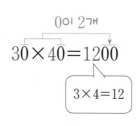

0이 2개

$30 \times 40 = 1200$

$3 \times 4 = 12$

$$\begin{array}{r} 3\ 0 \\ \times\quad 4\ 0 \\ \hline 1\ 2\ 0\ 0 \end{array}$$

(몇십)×(몇십)은
(몇)×(몇)을 계산한 값에
0을 2개 붙여!

🐙 계산을 하세요.

① 2×4를 계산한 8을 적고

1 $20 \times 40 = \boxed{800}$

② 0의 개수만큼 0을 뒤에 붙여.

2 $40 \times 60 = \boxed{}$

3 $50 \times 50 = \boxed{}$

4 $70 \times 30 = \boxed{}$

5 $60 \times 50 = \boxed{}$

6 $80 \times 80 = \boxed{}$

7 $80 \times 40 = \boxed{}$

8 $90 \times 70 = \boxed{}$

9 $80 \times 70 = \boxed{}$

10 $80 \times 60 = \boxed{}$

🐙 계산을 하세요.

11

12

13

14

15

16

17

18

19

20

21

22

1단계 곱셈

5. (몇십)×(몇십)

🐙 계산을 하세요.

1
```
    1 0
×   2 0
```

2
```
    1 0
×   7 0
```

3
```
    3 0
×   3 0
```

4
```
    2 0
×   9 0
```

5
```
    3 0
×   5 0
```

6
```
    4 0
×   3 0
```

7
```
    5 0
×   6 0
```

8
```
    7 0
×   4 0
```

9
```
    9 0
×   5 0
```

10
```
    6 0
×   2 0
```

11
```
    6 0
×   5 0
```

12
```
    9 0
×   7 0
```

13
```
    7 0
×   7 0
```

14
```
    8 0
×   4 0
```

15
```
    8 0
×   7 0
```

🐙 계산을 하세요.

16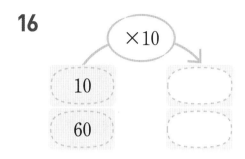

17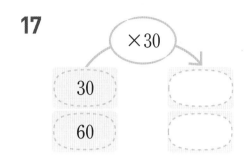

18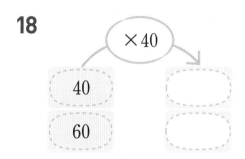

19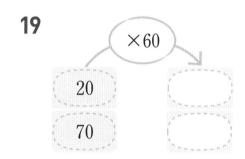

20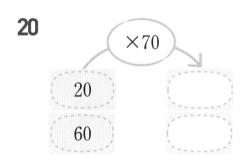

21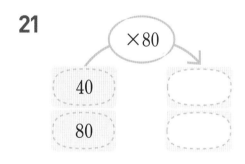

22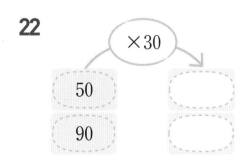

23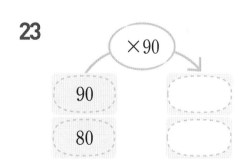

1단계 곱셈

6. (몇십몇)×(몇십)

예 25×30의 계산

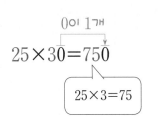

0이 1개

$25×30=750$

$25×3=75$

$$
\begin{array}{r}
2\ 5 \\
\times\ 3\ 0 \\
\hline
7\ 5\ 0
\end{array}
$$

(몇십몇)×(몇십)은 (몇십몇)×(몇)을 계산한 값에 0을 1개 붙여!

🐙 계산을 하세요.

1 $14×4=\boxed{56}$

$14×40=\boxed{560}$

2 $31×2=\boxed{}$

$31×20=\boxed{}$

3 $42×3=\boxed{}$

$42×30=\boxed{}$

4 $53×5=\boxed{}$

$53×50=\boxed{}$

5 $65×2=\boxed{}$

$65×20=\boxed{}$

6 $74×3=\boxed{}$

$74×30=\boxed{}$

7 $81×6=\boxed{}$

$81×60=\boxed{}$

8 $92×7=\boxed{}$

$92×70=\boxed{}$

🐙 계산을 하세요.

9 11×60

10 23×80

11 28×40

12 35×50

13 39×30

14 47×60

15 46×70

16 55×20

17 63×50

18 71×90

19 78×80

20 86×40

21 91×20

22 99×50

1단계 곱셈

6. (몇십몇)×(몇십)

🐙 계산을 하세요.

1
```
    1 9
 ×  3 0
```

2
```
    2 2
 ×  4 0
```

3
```
    3 3
 ×  2 0
```

4
```
    3 6
 ×  4 0
```

5
```
    4 1
 ×  5 0
```

6
```
    4 7
 ×  8 0
```

7
```
    5 4
 ×  2 0
```

8
```
    5 9
 ×  3 0
```

9
```
    6 4
 ×  6 0
```

10
```
    6 8
 ×  7 0
```

11
```
    7 3
 ×  4 0
```

12
```
    7 5
 ×  9 0
```

13
```
    8 2
 ×  8 0
```

14
```
    8 8
 ×  5 0
```

15
```
    9 4
 ×  6 0
```

🐙 학용품의 무게를 계산하세요.

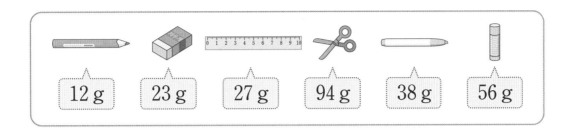

16 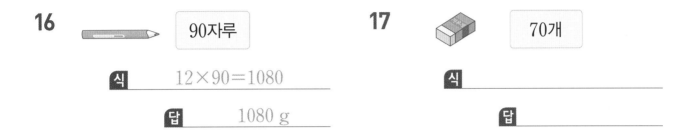 | 90자루

식 $12 \times 90 = 1080$

답   1080 g

17 | 70개

식

답

18 | 50개

식

답

19 | 60개

식

답

20 | 40자루

식

답

21 | 80개

식

답

💡 생활 속 연산

머핀 1개를 만드는 데 버터를 18 g 사용했습니다. 머핀 60개를 만드는 데 필요한 버터는 모두 몇 g인지 구하세요.

(   )

7. (몇)×(몇십몇)

예 5×24의 계산

```
        5
  ×   2 4
    ─────────
      2 0    ←5×4
  1 0 ⊙    ←5×20
  ─────────
  1 2 0    ←20+100
```

곱하는 두 자리 수를
일의 자리 수와 십의 자리 수로
각각 나누어서 계산해!

🐙 계산을 하세요.

1
```
      2
×  6  5
──────────
    1  0
1  2
──────────
1  3  0
```

2
```
      3
×  4  7
──────────
```

3
```
      4
×  3  8
──────────
```

4
```
      4
×  7  2
──────────
```

5
```
      5
×  5  3
──────────
```

6
```
      6
×  2  4
──────────
```

🐙 계산을 하세요.

7
```
      2
×   5 7
```

8
```
      2
×   8 3
```

9
```
      3
×   7 4
```

10
```
      3
×   9 5
```

11
```
      4
×   2 6
```

12
```
      4
×   6 2
```

13
```
      5
×   3 9
```

14
```
      5
×   4 8
```

15
```
      6
×   5 3
```

16
```
      6
×   8 4
```

17
```
      7
×   5 6
```

18
```
      7
×   7 7
```

19
```
      8
×   2 2
```

20
```
      8
×   6 5
```

21
```
      9
×   4 1
```

🎯 1단계 곱셈

7. (몇)×(몇십몇)

🐙 계산을 하세요.

1 2×38

2 3×67

3 4×46

4 4×53

5 5×69

6 5×71

7 6×32

8 6×46

9 7×27

10 7×45

11 8×44

12 8×51

13 9×26

14 9×38

🐙 계산을 하세요.

15
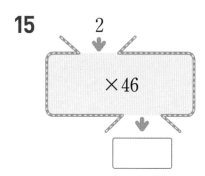

16
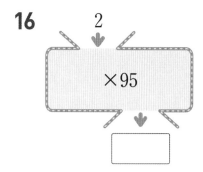

17
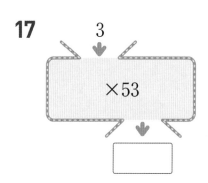

18
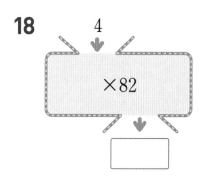

19
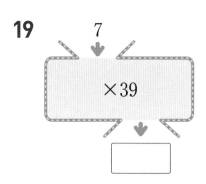

20
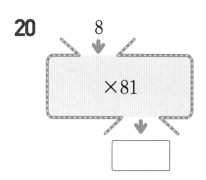

21
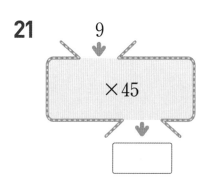

22
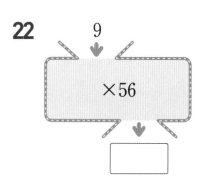

◎ 1단계 곱셈

7. (몇)×(몇십몇)

🐙 계산을 하세요.

1 2×29

2 2×72

3 3×36

4 4×64

5 5×55

6 6×27

7 6×81

8 5×82

9 7×65

10 9×33

11 7×93

12 8×48

13 8×95

14 9×19

🐙 계산을 하세요.

15
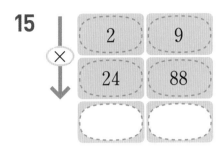

2	9
24	88

16
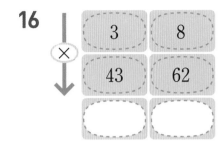

3	8
43	62

17
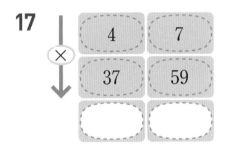

4	7
37	59

18
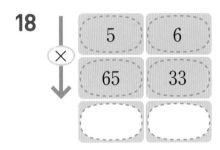

5	6
65	33

19
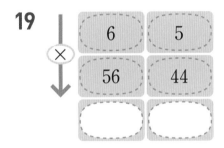

6	5
56	44

20
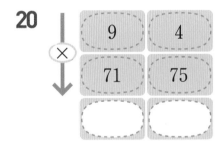

9	4
71	75

21
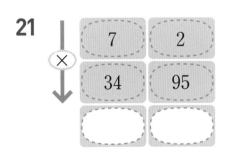

7	2
34	95

22
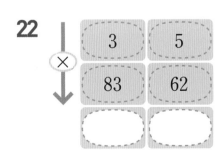

3	5
83	62

8. 올림이 한 번 있는 (몇십몇)×(몇십몇)

예 14×15의 계산

```
      1  4
   ×  1  5
   ─────────
      7  0   ←14×5
   1  4  ◯   ←14×10
   ─────────
   2  1  0   ←70+140
```

14×15에서 15＝10＋5니까
14에 10과 5를 각각 곱한 다음
더해서 계산해!

🐙 계산을 하세요.

1
```
   1  2
×  1  8
────────
   9  6
1  2
────────
2  1  6
```

2
```
   2  1
×  3  6
```

3
```
   1  4
×  2  4
```

4
```
   3  1
×  2  9
```

5
```
   4  2
×  2  3
```

6
```
   6  0
×  1  5
```

🐙 계산을 하세요.

7　　　1　6
　　×　1　6
　　─────────

8　　　2　7
　　×　1　2
　　─────────

9　　　4　9
　　×　1　2
　　─────────

10　　7　1
　　×　1　3
　　─────────

11　　3　2
　　×　2　4
　　─────────

12　　5　3
　　×　1　3
　　─────────

13　　1　8
　　×　3　1
　　─────────

14　　3　5
　　×　2　1
　　─────────

15　　1　4
　　×　4　2
　　─────────

16　　4　1
　　×　6　2
　　─────────

17　　5　1
　　×　5　1
　　─────────

18　　3　1
　　×　7　2
　　─────────

19　　2　1
　　×　6　2
　　─────────

20　　5　3
　　×　3　1
　　─────────

21　　8　2
　　×　4　1
　　─────────

 1단계 곱셈

8. 올림이 한 번 있는 (몇십몇)×(몇십몇)

계산을 하세요.

1 12×18

2 13×36

3 24×23

4 43×13

5 21×27

6 41×17

7 52×14

8 73×13

9 25×31

10 19×41

11 61×41

12 32×42

13 72×31

14 84×21

🐙 두 수의 곱을 구하세요.

15

16

17

18

19

20

21

22
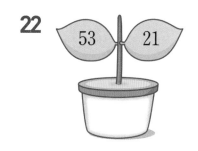

23
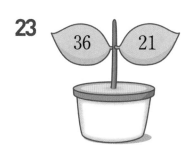

24

8. 올림이 한 번 있는 (몇십몇)×(몇십몇)

🐙 계산을 하세요.

1 15×12

2 18×21

3 26×13

4 29×13

5 31×24

6 36×12

7 42×14

8 51×15

9 51×16

10 64×12

11 72×13

12 81×18

13 81×15

14 94×12

🐙 계산을 하세요.

15
54×12

(   )

16
27×13

(   )

17
91×19

(   )

18
25×21

(   )

19
13×24

(   )

20
18×41

(   )

21
25×31

(   )

22
21×72

(   )

💡 **생활 속 연산**

경준이가 가진 드론은 1초에 12 m씩 이동할 수 있습니다. 이 드론이 28초 동안 이동할 수 있는 거리는 몇 m인지 구하세요.

(   )

◎ 1단계 곱셈

9. 올림이 두 번 이상 있는 (몇십몇)×(몇십몇)

예 26×45의 계산

```
        2   6
    ×   4   5
    ─────────────
        1   3   0   ← 26×5
    1   0   4   ○   ← 26×40
    ─────────────
    1   1   7   0   ← 130＋1040
```

26×45에서
45＝40＋5니까
26에 40과 5를 각각
곱한 다음 더해서 계산해!

🐙 계산을 하세요.

1
```
        1   5
    ×   3   2
    ─────────
        3   0
    4   5
    4   8   0
```

2
```
        2   5
    ×   4   3
    ─────────
```

3
```
        4   7
    ×   5   4
    ─────────
```

4
```
        5   4
    ×   2   3
    ─────────
```

5
```
        6   3
    ×   5   2
    ─────────
```

6
```
        9   2
    ×   3   8
    ─────────
```

🐙 계산을 하세요.

7　　　1 3
　　　× 9 4

8　　　2 4
　　　× 4 9

9　　　2 8
　　　× 6 2

10　　　3 2
　　　× 5 5

11　　　3 9
　　　× 7 3

12　　　4 6
　　　× 3 6

13　　　5 3
　　　× 2 7

14　　　6 5
　　　× 4 2

15　　　7 2
　　　× 3 8

16　　　7 6
　　　× 5 4

17　　　8 9
　　　× 6 3

18　　　9 3
　　　× 7 2

19　　　7 2
　　　× 4 6

20　　　8 4
　　　× 3 4

21　　　6 6
　　　× 5 4

9. 올림이 두 번 이상 있는 (몇십몇)×(몇십몇)

🐙 계산을 하세요.

1 16×44

2 23×56

3 29×35

4 33×66

5 38×48

6 42×84

7 52×78

8 54×38

9 63×83

10 67×26

11 78×72

12 83×29

13 85×16

14 93×35

🐙 계산을 하세요.

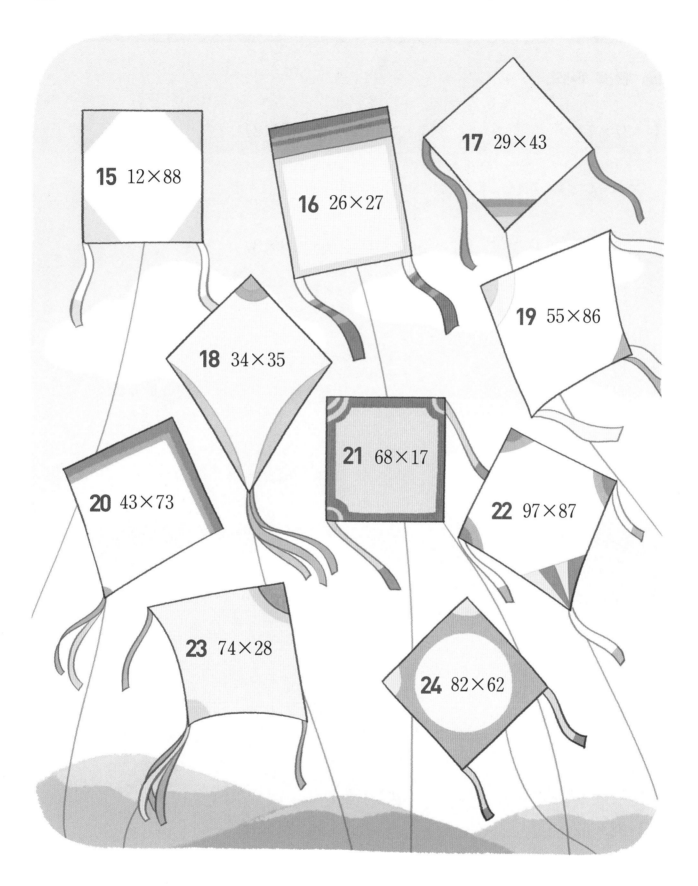

15 12×88

16 26×27

17 29×43

18 34×35

19 55×86

20 43×73

21 68×17

22 97×87

23 74×28

24 82×62

🎯 1단계 곱셈

9. 올림이 두 번 이상 있는 (몇십몇)×(몇십몇)

🐙 계산을 하세요.

1 27×72

2 55×24

3 36×29

4 38×37

5 45×25

6 53×43

7 58×53

8 26×52

9 73×45

10 62×65

11 84×64

12 87×86

13 98×52

14 24×76

🐙 과일의 **열량**을 계산하세요.
↳ 음식을 먹었을 때 몸에서 발생하는 에너지야.

열량의 단위는 'kcal'라고 쓰고 '킬로칼로리'라고 읽어.

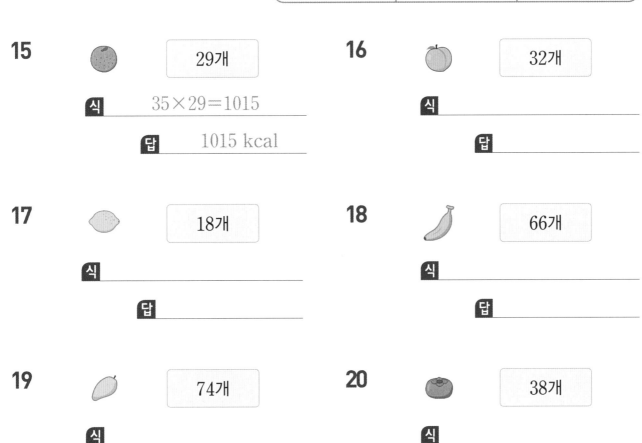

35 kcal	95 kcal	42 kcal
89 kcal	98 kcal	85 kcal

15   29개

식 $35 \times 29 = 1015$

답   1015 kcal

16   32개

식

답

17   18개

식

답

18   66개

식

답

19   74개

식

답

20   38개

식

답

💡 **생활 속 연산**

우리나라 사람 한 명이 1년 동안 먹는 라면은 76개라고 합니다. 26명이 1년 동안 먹는 라면은 모두 몇 개인지 구하세요.

(   )

🎯 1단계 곱셈

마무리 연산

🐙 계산을 하세요.

1
```
    1 2 2
  ×     2
```

2
```
    2 3 2
  ×     3
```

3
```
    3 2 2
  ×     3
```

4
```
    3 3 5
  ×     2
```

5
```
    2 2 6
  ×     2
```

6
```
    1 5 3
  ×     3
```

7
```
    3 5 1
  ×     2
```

8
```
    6 3 2
  ×     2
```

9
```
    5 1 3
  ×     3
```

10
```
    1 5 7
  ×     5
```

11
```
    2 4 1
  ×     6
```

12
```
    3 2 4
  ×     4
```

13
```
    3 5 2
  ×     6
```

14
```
    8 9 4
  ×     4
```

15
```
    9 4 7
  ×     8
```

🐙 계산을 하세요.

16 133×2

17 413×2

18 161×4

19 253×3

20 429×2

21 723×3

22 142×6

23 240×7

24 291×5

25 385×2

26 494×3

27 398×7

28 819×6

29 159×9

1단계 곱셈

마무리 연산

계산을 하세요.

1
```
    1 0
  × 9 0
```

2
```
    3 0
  × 5 0
```

3
```
    7 0
  × 7 0
```

4
```
    3 6
  × 8 0
```

5
```
    5 5
  × 6 0
```

6
```
    4 3
  × 4 0
```

7
```
      7
  × 2 2
```

8
```
      8
  × 3 2
```

9
```
      4
  × 9 3
```

10
```
    4 7
  × 2 1
```

11
```
    6 3
  × 2 1
```

12
```
    8 1
  × 1 6
```

13
```
    3 2
  × 7 4
```

14
```
    7 7
  × 5 5
```

15
```
    9 5
  × 8 6
```

🐙 계산을 하세요.

16 20×20

17 30×40

18 58×90

19 67×80

20 7×82

21 8×98

22 31×25

23 61×14

24 73×12

25 91×15

26 29×54

27 62×54

28 76×37

29 96×66

2

나눗셈

꾸준하게 풀면 어느새
연산 실력이 엄청 향상되어
있을 거야!

학습 결과와 시간을 써 보세요!

학습 내용	학습 회차	맞힌 개수/걸린 시간
1. 내림이 없는 (몇십)÷(몇)	DAY 01	/
	DAY 02	/
2. 내림이 있는 (몇십)÷(몇)	DAY 03	/
	DAY 04	/
3. 내림이 없는 (몇십몇)÷(몇)	DAY 05	/
	DAY 06	/
4. 내림이 있는 (몇십몇)÷(몇)	DAY 07	/
	DAY 08	/
	DAY 09	/
5. 나머지가 있는 (몇십몇)÷(몇)(1)	DAY 10	/
	DAY 11	/
	DAY 12	/
6. 나머지가 있는 (몇십몇)÷(몇)(2)	DAY 13	/
	DAY 14	/
	DAY 15	/
7. 나머지가 없는 (세 자리 수)÷(한 자리 수)	DAY 16	/
	DAY 17	/
	DAY 18	/
8. 나머지가 있는 (세 자리 수)÷(한 자리 수)	DAY 19	/
	DAY 20	/
	DAY 21	/
마무리 연산	DAY 22	/
	DAY 23	/

기초력 상승!

하나 둘! 하나 둘!

🎯 2단계 나눗셈

1. 내림이 없는 (몇십)÷(몇)

예 40÷2의 계산

$$40÷2=20$$
$$4÷2=2$$

$$
\begin{array}{r}
2\,0 \leftarrow \text{몫}\\
2\,\overline{)\,4\,0}\\
4\,0 \leftarrow 2\times20\\
\hline
0
\end{array}
$$

➡ 40÷2=20

40은 4의 10배니까
40÷2의 몫도
4÷2의 몫의 10배가 돼!

🐙 계산을 하세요.

1

$$
\begin{array}{r}
1\,0\\
2\,\overline{)\,2\,0}\\
2\,0\\
\hline
0
\end{array}
$$

2

$$2\,\overline{)\,4\,0}$$

3

$$2\,\overline{)\,8\,0}$$

4

$$2\,\overline{)\,6\,0}$$

5

$$4\,\overline{)\,8\,0}$$

6

$$3\,\overline{)\,3\,0}$$

7

$$3\,\overline{)\,9\,0}$$

8

$$3\,\overline{)\,6\,0}$$

9

$$5\,\overline{)\,5\,0}$$

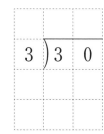

🐙 계산을 하세요.

10
$$2 \overline{)\,2\quad 0\,}$$

11
$$5 \overline{)\,5\quad 0\,}$$

12
$$6 \overline{)\,6\quad 0\,}$$

13
$$3 \overline{)\,6\quad 0\,}$$

14
$$2 \overline{)\,8\quad 0\,}$$

15
$$2 \overline{)\,6\quad 0\,}$$

16
$$7 \overline{)\,7\quad 0\,}$$

17
$$9 \overline{)\,9\quad 0\,}$$

18
$$4 \overline{)\,8\quad 0\,}$$

19
$$8 \overline{)\,8\quad 0\,}$$

20
$$3 \overline{)\,9\quad 0\,}$$

21
$$4 \overline{)\,4\quad 0\,}$$

22
$$2 \overline{)\,6\quad 0\,}$$

23
$$2 \overline{)\,4\quad 0\,}$$

24
$$4 \overline{)\,8\quad 0\,}$$

◎ 2단계 나눗셈

1. 내림이 없는 (몇십)÷(몇)

🐙 계산을 하세요.

1 $20 \div 2$

2 $30 \div 3$

3 $40 \div 4$

4 $50 \div 5$

5 $60 \div 3$

6 $40 \div 2$

7 $70 \div 7$

8 $60 \div 2$

9 $60 \div 6$

10 $80 \div 4$

11 $80 \div 2$

12 $90 \div 9$

13 $80 \div 8$

14 $90 \div 3$

🐙 귤을 바구니에 똑같이 나누어 담으려고 합니다. 귤을 한 바구니에 각각 몇 개씩 담을 수 있는지 구하세요.

15
20개

(   )

16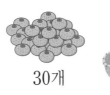
30개

(   )

17
40개

(   )

18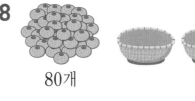
80개

(   )

19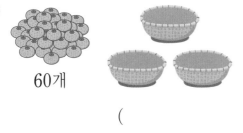
60개

(   )

20
90개

(   )

21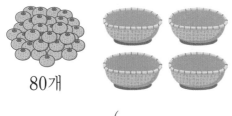
80개

(   )

22
60개

(   )

🎯 2단계 나눗셈

2. 내림이 있는 (몇십)÷(몇)

예 30÷2의 계산

```
      1
  2 ) 3 0
      2 0   ← 2×10
      1 0
```

➡

```
      1 5   ← 몫
  2 ) 3 0
      2 0
      1 0
      1 0   ← 2×5
        0
```

십의 자리 수부터 나누어 계산해!

➡ 30÷2=15

🐙 계산을 하세요.

1
```
      2 5
  2 ) 5 0
      4
      1 0
      1 0
        0
```

2
```
  4 ) 6 0
```

3
```
  5 ) 7 0
```

4
```
  2 ) 7 0
```

5
```
  6 ) 9 0
```

6
```
  5 ) 6 0
```

🐙 계산을 하세요.

7　2$\overline{)9\ 0}$

8　2$\overline{)3\ 0}$

9　5$\overline{)9\ 0}$

10　2$\overline{)7\ 0}$

11　5$\overline{)8\ 0}$

12　4$\overline{)6\ 0}$

13　2$\overline{)9\ 0}$

14　2$\overline{)5\ 0}$

15　5$\overline{)6\ 0}$

16　5$\overline{)9\ 0}$

17　5$\overline{)7\ 0}$

18　2$\overline{)3\ 0}$

19　5$\overline{)8\ 0}$

20　2$\overline{)5\ 0}$

21　6$\overline{)9\ 0}$

◎ 2단계 나눗셈

2. 내림이 있는 (몇십)÷(몇)

🐙 계산을 하세요.

1 $30 \div 2$

2 $50 \div 2$

3 $60 \div 4$

4 $70 \div 2$

5 $80 \div 5$

6 $60 \div 5$

7 $90 \div 2$

8 $70 \div 5$

9 $90 \div 5$

10 $90 \div 6$

11 $50 \div 2$

12 $80 \div 5$

13 $70 \div 5$

14 $90 \div 2$

계산을 하세요.

15
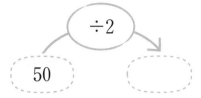

16
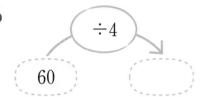

17
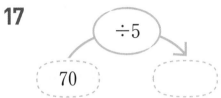

18
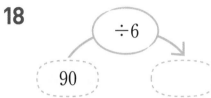

19
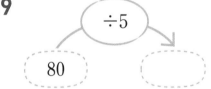

20
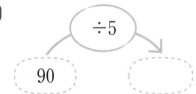

21
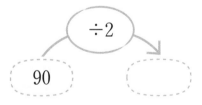

22
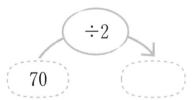

23
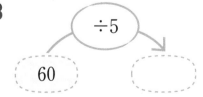

24
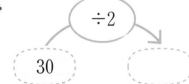

◎ 2단계 나눗셈

3. 내림이 없는 (몇십몇)÷(몇)

예 36÷3의 계산

$$
\begin{array}{r}
1 \\
3\,\overline{)3\,6} \\
3\,0 \quad \leftarrow 3\times10 \\
\hline
6
\end{array}
$$

➡

$$
\begin{array}{r}
1\,2 \quad \leftarrow 몫 \\
3\,\overline{)3\,6} \\
3\,0 \\
\hline
6 \\
6 \quad \leftarrow 3\times2 \\
\hline
0
\end{array}
$$

36에는 3이 12번 들어감

➡ 36÷3=12

🐙 계산을 하세요.

1
$$
\begin{array}{r}
1\,2 \\
2\,\overline{)2\,4} \\
2 \\
\hline
4 \\
4 \\
\hline
0
\end{array}
$$

2
$$
2\,\overline{)4\,8}
$$

3
$$
3\,\overline{)9\,6}
$$

4
$$
3\,\overline{)6\,6}
$$

5
$$
4\,\overline{)8\,4}
$$

6
$$
6\,\overline{)6\,6}
$$

🐙 계산을 하세요.

7 $2\,\overline{)\,2\ \ 6}$

8 $2\,\overline{)\,4\ \ 2}$

9 $3\,\overline{)\,3\ \ 6}$

10 $4\,\overline{)\,4\ \ 8}$

11 $3\,\overline{)\,3\ \ 9}$

12 $5\,\overline{)\,5\ \ 5}$

13 $2\,\overline{)\,6\ \ 2}$

14 $2\,\overline{)\,8\ \ 6}$

15 $7\,\overline{)\,7\ \ 7}$

16 $2\,\overline{)\,8\ \ 4}$

17 $3\,\overline{)\,6\ \ 3}$

18 $3\,\overline{)\,9\ \ 3}$

19 $8\,\overline{)\,8\ \ 8}$

20 $4\,\overline{)\,8\ \ 8}$

21 $2\,\overline{)\,6\ \ 4}$

2단계 나눗셈

3. 내림이 없는 (몇십몇)÷(몇)

🐙 계산을 하세요.

1 24÷2

2 28÷2

3 33÷3

4 36÷3

5 42÷2

6 44÷2

7 46÷2

8 64÷2

9 66÷3

10 77÷7

11 82÷2

12 86÷2

13 93÷3

14 99÷9

🐙 계산을 하세요.

15 26 ÷2

16 39 ÷3

17 48 ÷4

18 62 ÷2

19 63 ÷3

20 84 ÷4

21 88 ÷4

22 96 ÷3

23 82 ÷2

24 66 ÷3

25 96 ÷3

26 55 ÷5

2단계 나눗셈

4. 내림이 있는 (몇십몇)÷(몇)

예 45÷3의 계산

```
      1            
  3 ) 4 5          
      3 0  ← 3×10  
      1 5          
```
➡
```
      1 5  ← 몫     
  3 ) 4 5          
      3 0          
      1 5          
      1 5  ← 3×5   
        0          
```

➡ 45÷3=15

계산을 하세요.

1
```
      1 8
  2 ) 3 6
      2
      1 6
      1 6
        0
```

2
```
  4 ) 5 6
```

3
```
  5 ) 6 5
```

4

```
  2 ) 7 2
```

5
```
  3 ) 8 1
```

6

```
  6 ) 9 6
```

🐙 계산을 하세요.

7 $2\,)\,\overline{3\ 2}$

8 $3\,)\,\overline{4\ 8}$

9 $5\,)\,\overline{7\ 5}$

10 $2\,)\,\overline{5\ 4}$

11 $4\,)\,\overline{6\ 4}$

12 $5\,)\,\overline{9\ 5}$

13 $7\,)\,\overline{9\ 1}$

14 $3\,)\,\overline{7\ 8}$

15 $3\,)\,\overline{5\ 4}$

16 $3\,)\,\overline{8\ 7}$

17 $4\,)\,\overline{9\ 2}$

18 $7\,)\,\overline{8\ 4}$

19 $6\,)\,\overline{8\ 4}$

20 $3\,)\,\overline{7\ 2}$

21 $2\,)\,\overline{9\ 8}$

4. 내림이 있는 (몇십몇)÷(몇)

🐙 계산을 하세요.

1 38÷2

2 42÷3

3 52÷4

4 54÷3

5 74÷2

6 78÷2

7 57÷3

8 56÷2

9 68÷4

10 75÷3

11 76÷4

12 85÷5

13 96÷4

14 98÷7

🐙 단추를 똑같이 나누어 주려고 합니다. 나눗셈을 하여 몇 명에게 나누어 줄 수 있는지 구하세요.

15 34개를 한 사람에 2개씩

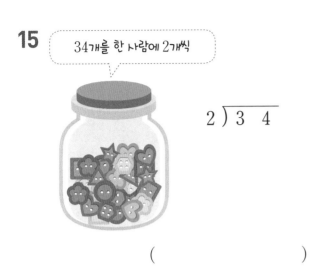

$2\overline{)3\ 4}$

(   )

16 48개를 한 사람에 3개씩

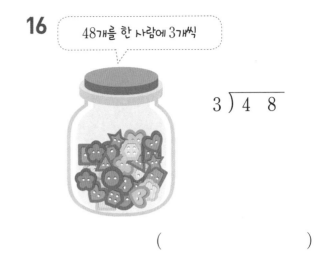

$3\overline{)4\ 8}$

(   )

17 78개를 한 사람에 6개씩

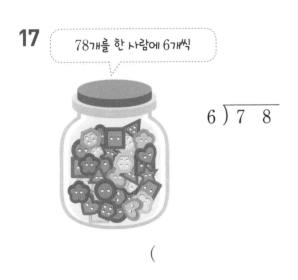

$6\overline{)7\ 8}$

(   )

18 92개를 한 사람에 2개씩

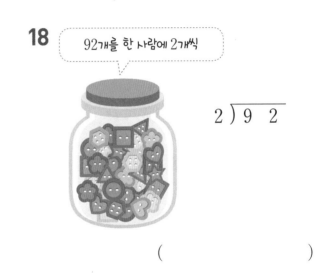

$2\overline{)9\ 2}$

(   )

19 84개를 한 사람에 6개씩

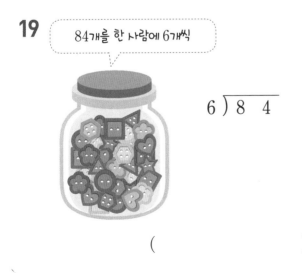

$6\overline{)8\ 4}$

(   )

20 96개를 한 사람에 8개씩

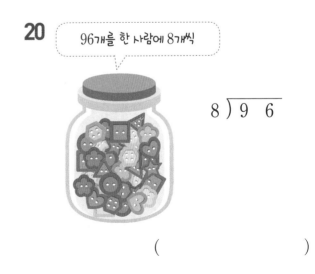

$8\overline{)9\ 6}$

(   )

4. 내림이 있는 (몇십몇)÷(몇)

🐙 계산을 하세요.

1 32÷2

2 36÷2

3 42÷3

4 45÷3

5 56÷4

6 57÷3

7 65÷5

8 72÷3

9 72÷4

10 78÷3

11 84÷7

12 85÷5

13 96÷6

14 94÷2

🐙 계산을 하세요.

15

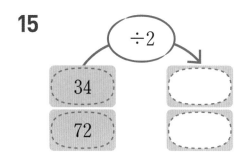

16

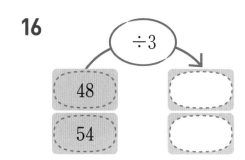

17

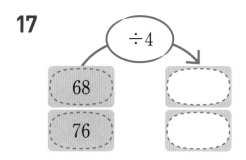

18

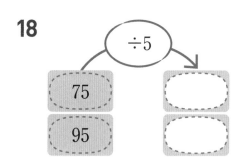

19

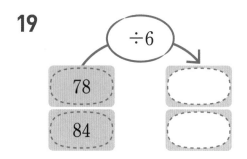

20

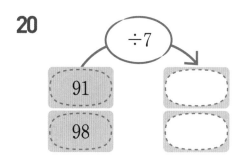

💡 **생활 속 연산**

정민이는 미니카 7개를 조립하기 위해 필요한 나사의 개수를 세었습니다. 필요한 나사가 84개라면 미니카 1개를 만드는 데 필요한 나사는 몇 개인지 구하세요.

(　　　　　　)

◎ 2단계 나눗셈

5. 나머지가 있는 (몇십몇)÷(몇) (1)

예 24÷5의 계산

```
              4   ← 몫
나누는 수 → 5 )2 4
            2 0   ← 5×4
            ─────
              4   ← 나머지
```

➡ 24÷5＝4 … 4

나머지는 항상
나누는 수보다 작아야 해!

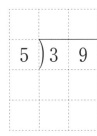

🐙 계산을 하세요.

1
```
      4
4 )1 8
  1 6
  ───
    2
```

2
```
8 )3 5
```

3
```
6 )5 2
```

4
```
3 )2 6
```

5
```
9 )4 7
```

6
```
5 )3 9
```

7
```
7 )6 1
```

8
```
8 )7 4
```

9
```
9 )8 8
```

🐙 계산을 하세요.

10 3) 1 3

11 5) 2 9

12 7) 3 4

13 4) 3 8

14 6) 4 1

15 9) 5 5

16 6) 5 7

17 7) 6 2

18 8) 7 3

19 8) 7 7

20 9) 8 5

21 9) 7 0

22 6) 5 9

23 5) 4 9

24 7) 6 9

5. 나머지가 있는 (몇십몇)÷(몇) (1)

🐙 계산을 하세요.

1 11÷2

2 16÷3

3 23÷4

4 27÷6

5 32÷5

6 39÷8

7 44÷7

8 46÷9

9 48÷5

10 51÷6

11 54÷7

12 59÷8

13 65÷9

14 66÷8

🐙 계산을 하세요.

15

14÷8

몫 (　　　　　　　)
나머지 (　　　　　　)

16

19÷7

몫 (　　　　　　　)
나머지 (　　　　　　)

17

23÷3

몫 (　　　　　　　)
나머지 (　　　　　　)

18

26÷4

몫 (　　　　　　　)
나머지 (　　　　　　)

19

37÷6

몫 (　　　　　　　)
나머지 (　　　　　　)

20

43÷5

몫 (　　　　　　　)
나머지 (　　　　　　)

21

55÷7

몫 (　　　　　　　)
나머지 (　　　　　　)

22

68÷8

몫 (　　　　　　　)
나머지 (　　　　　　)

23

73÷9

몫 (　　　　　　　)
나머지 (　　　　　　)

24

77÷9

몫 (　　　　　　　)
나머지 (　　　　　　)

5. 나머지가 있는 (몇십몇)÷(몇) (1)

🐙 계산을 하세요.

1 $12 \div 5$

2 $15 \div 6$

3 $21 \div 6$

4 $25 \div 8$

5 $33 \div 4$

6 $36 \div 5$

7 $45 \div 7$

8 $49 \div 6$

9 $56 \div 9$

10 $58 \div 7$

11 $66 \div 8$

12 $69 \div 9$

13 $76 \div 9$

14 $83 \div 9$

🐙 나눗셈을 하여 몫은 ☐ 안에, 나머지는 ◯ 안에 써넣으세요.

15
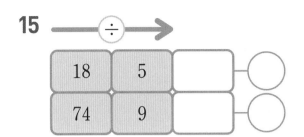

16
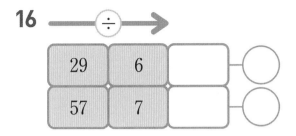

17
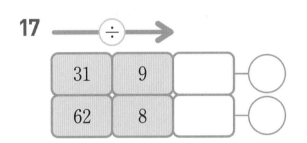

18
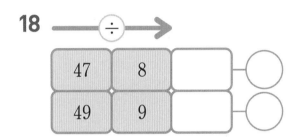

19
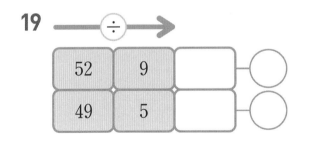

20
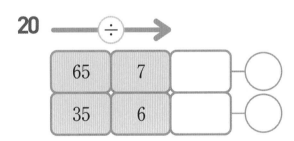

21
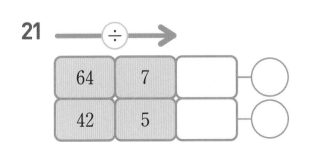

22
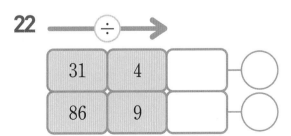

◎ 2단계 나눗셈

6. 나머지가 있는 (몇십몇)÷(몇) (2)

예 57÷4의 계산

```
      1
  4 ) 5 7
      4 0   ← 4×10
      1 7
```

➡

```
      1 4   ← 몫
  4 ) 5 7
      4 0
      1 7
      1 6   ← 4×4
        1   ← 나머지
```

➡ 57÷4=14 … 1

4)57 에서
4 < 5 이므로 몫은
두 자리 수가 돼!

🐙 계산을 하세요.

1
```
        1 7
    2 ) 3 5
        2
        1 5
        1 4
          1
```

2
```
    3 ) 4 9
```

3
```
    4 ) 6 3
```

4
```
    4 ) 7 4
```

5
```
    3 ) 8 2
```

6
```
    5 ) 9 8
```

🐙 계산을 하세요.

7
$$2\overline{\smash{)}3\ 1}$$

8
$$3\overline{\smash{)}7\ 4}$$

9
$$4\overline{\smash{)}4\ 7}$$

10
$$3\overline{\smash{)}8\ 6}$$

11
$$5\overline{\smash{)}6\ 2}$$

12
$$3\overline{\smash{)}6\ 8}$$

13
$$6\overline{\smash{)}7\ 3}$$

14
$$4\overline{\smash{)}9\ 5}$$

15
$$7\overline{\smash{)}8\ 6}$$

16
$$5\overline{\smash{)}8\ 9}$$

17
$$8\overline{\smash{)}9\ 1}$$

18
$$2\overline{\smash{)}9\ 7}$$

19
$$3\overline{\smash{)}7\ 9}$$

20
$$4\overline{\smash{)}7\ 5}$$

21
$$3\overline{\smash{)}9\ 4}$$

6. 나머지가 있는 (몇십몇)÷(몇) (2)

🐙 계산을 하세요.

1 $29 \div 2$

2 $82 \div 3$

3 $32 \div 3$

4 $85 \div 4$

5 $46 \div 4$

6 $94 \div 7$

7 $64 \div 5$

8 $67 \div 4$

9 $65 \div 3$

10 $78 \div 7$

11 $67 \div 4$

12 $87 \div 6$

13 $71 \div 2$

14 $99 \div 8$

🐙 사다리를 타고 내려간 곳에 나눗셈의 나머지를 쓰세요.

15

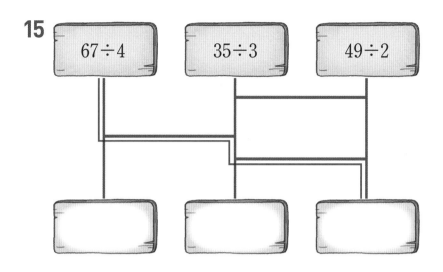

$67 \div 4$ $35 \div 3$ $49 \div 2$

16

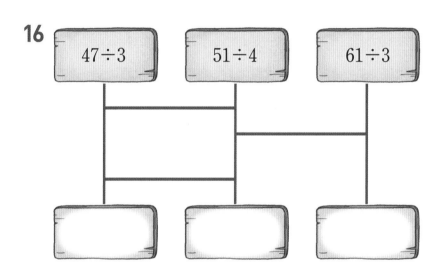

$47 \div 3$ $51 \div 4$ $61 \div 3$

17

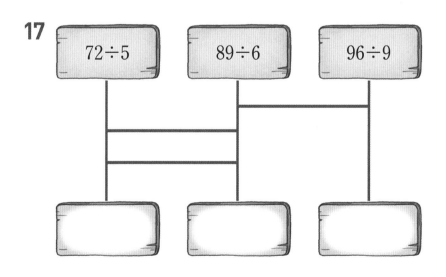

$72 \div 5$ $89 \div 6$ $96 \div 9$

6. 나머지가 있는 (몇십몇)÷(몇) (2)

🐙 계산을 하세요.

1 $33 \div 2$

2 $34 \div 3$

3 $42 \div 4$

4 $43 \div 2$

5 $51 \div 2$

6 $55 \div 4$

7 $62 \div 4$

8 $98 \div 3$

9 $74 \div 5$

10 $77 \div 6$

11 $81 \div 2$

12 $83 \div 8$

13 $92 \div 6$

14 $85 \div 4$

🐙 나눗셈을 하여 몫은 ☐ 안에, 나머지는 ◯ 안에 써넣으세요.

15
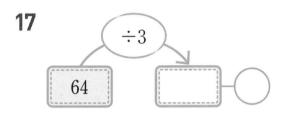

16
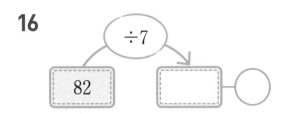

17
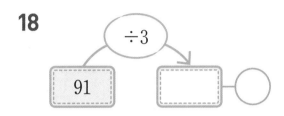

18

19
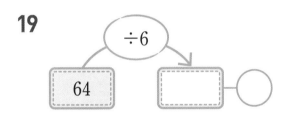

20
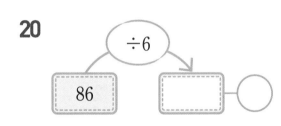

21
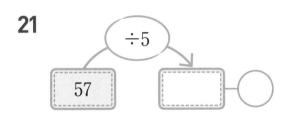

22
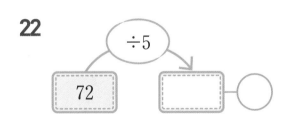

💡 **생활 속 연산**

다트 59개를 한 사람당 5개씩 나누어 던지려고 합니다.
다트를 몇 명까지 던질 수 있고, 몇 개가 남는지 구하세요.

(   ), (   )

2단계 나눗셈

7. 나머지가 없는 (세 자리 수)÷(한 자리 수)

예 156÷2의 계산

```
        7 8
  2 ) 1 5 6
      1 4
        1 6
        1 6
          0
```

➡ 156÷2=78

나누어지는 수의 백의 자리부터
차례로 계산하면 돼.

🐙 계산을 하세요.

1
```
      1 0 0
  2 ) 2 0 0
      2
          0
```

2
```
  3 ) 6 0 0
```

3
```
  2 ) 6 0 0
```

4
```
  2 ) 3 6 0
```

5
```
  4 ) 6 8 0
```

6
```
  2 ) 3 2 0
```

🐙 계산을 하세요.

7 $3 \overline{)\,4\ 5\ 0}$

8 $4 \overline{)\,7\ 6\ 0}$

9 $6 \overline{)\,9\ 6\ 0}$

10 $2 \overline{)\,2\ 9\ 4}$

11 $4 \overline{)\,4\ 2\ 0}$

12 $2 \overline{)\,9\ 1\ 0}$

13 $4 \overline{)\,3\ 9\ 6}$

14 $5 \overline{)\,4\ 3\ 5}$

15 $9 \overline{)\,3\ 9\ 6}$

16 $5 \overline{)\,4\ 7\ 5}$

17 $8 \overline{)\,7\ 8\ 4}$

18 $9 \overline{)\,8\ 7\ 3}$

19 $7 \overline{)\,1\ 8\ 9}$

20 $8 \overline{)\,6\ 6\ 4}$

21 $9 \overline{)\,5\ 5\ 8}$

7. 나머지가 없는 (세 자리 수)÷(한 자리 수)

🐙 계산을 하세요.

1 300÷2

2 600÷3

3 700÷2

4 366÷3

5 500÷4

6 833÷7

7 717÷3

8 924÷6

9 602÷7

10 728÷8

11 208÷8

12 552÷6

13 855÷9

14 140÷4

🐙 계산을 하세요.

15 476÷2 ◯

16 556÷4 ◯

17 710÷5 ◯

18 978÷6 ◯

19 136÷4 ◯

20 222÷6 ◯

21 392÷7 ◯

22 423÷9 ◯

23 608÷8 ◯

24 825÷3 ◯

25 470÷5 ◯

26 232÷8 ◯

7. 나머지가 없는 (세 자리 수)÷(한 자리 수)

🐙 계산을 하세요.

1 380÷2

2 471÷3

3 500÷2

4 584÷4

5 612÷2

6 705÷5

7 728÷7

8 800÷4

9 125÷5

10 168÷2

11 213÷3

12 260÷4

13 354÷6

14 891÷9

🐙 계산을 하세요.

15

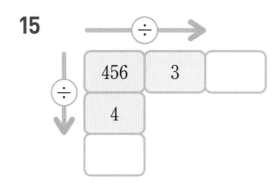

16

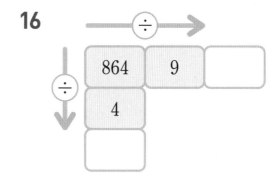

17

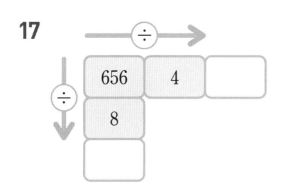

18

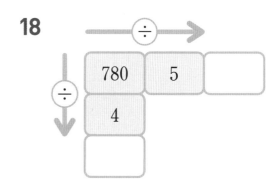

19

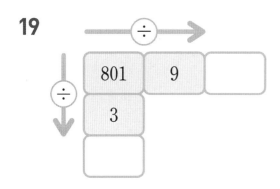

20

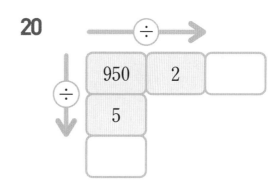

21

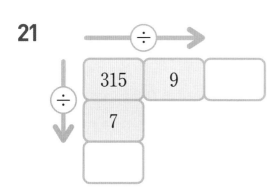

22

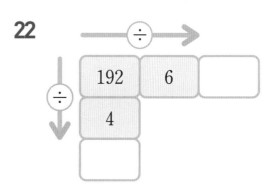

DAY 19

8. 나머지가 있는 (세 자리 수)÷(한 자리 수)

예 159÷4의 계산

```
        3 9
  4 ) 1 5 9
      1 2
        3 9
        3 6
          3
```

➡ 159÷4=39 … 3

🐙 계산을 하세요.

1

```
    2 0 2
  2 ) 4 0 5
    4
        5
        4
        1
```

2

```
  6 ) 6 0 9
```

3

```
  4 ) 4 2 3
```

4

```
  7 ) 7 5 8
```

5

```
  8 ) 5 4 5
```

6

```
  9 ) 8 3 8
```

🐙 계산을 하세요.

7　2) 2　0　5

8　5) 5　0　6

9　4) 8　0　9

10　3) 3　2　9

11　4) 4　3　1

12　6) 6　5　8

13　3) 5　9　6

14　3) 7　4　3

15　5) 6　1　4

16　7) 3　9　8

17　4) 3　7　8

18　9) 8　4　3

19　5) 4　9　6

20　8) 7　6　5

21　7) 4　5　2

8. 나머지가 있는 (세 자리 수)÷(한 자리 수)

🐙 계산을 하세요.

1 544÷5

2 919÷3

3 536÷3

4 601÷4

5 637÷2

6 934÷7

7 758÷6

8 800÷7

9 115÷2

10 239÷3

11 287÷4

12 303÷7

13 345÷8

14 512÷9

🐙 사과를 상자에 똑같이 나누어 담았습니다. 상자 한 개에 담긴 사과의 개수와 담고 남은 사과의 개수를 차례로 구하세요.

15

사과(159개)　　4상자

식　　159÷4＝39 … 3

답　　39개, 3개

16

사과(275개)　　9상자

식

답

17

사과(297개)　　6상자

식

답

18

사과(222개)　　9상자

식

답

19

사과(213개)　　8상자

식

답

20

사과(132개)　　5상자

식

답

21

사과(371개)　　9상자

식

답

22

사과(214개)　　8상자

식

답

2단계 나눗셈

8. 나머지가 있는 (세 자리 수)÷(한 자리 수)

계산을 하세요.

1 $415 \div 4$

2 $505 \div 3$

3 $699 \div 4$

4 $756 \div 5$

5 $783 \div 6$

6 $850 \div 4$

7 $909 \div 8$

8 $131 \div 3$

9 $194 \div 4$

10 $267 \div 6$

11 $299 \div 5$

12 $382 \div 9$

13 $570 \div 7$

14 $641 \div 8$

나눗셈을 하여 몫은 ☐ 안에, 나머지는 ◯ 안에 써넣으세요.

15

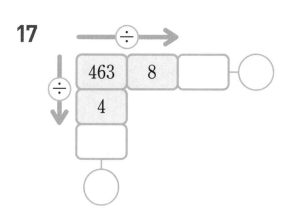

16

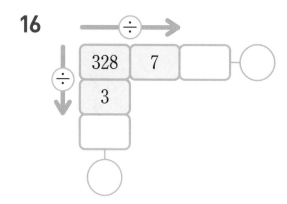

17

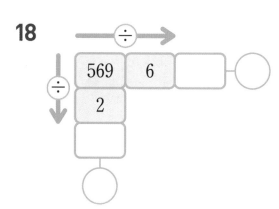

18

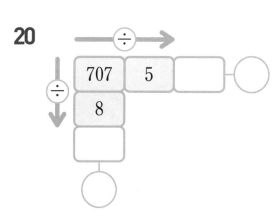

19

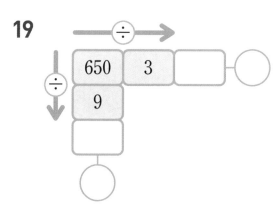

20

생활 속 연산

종이접기 활동을 하기 위해 색종이 189장을 한 명에게 5장씩 나누어 주려고 합니다. 색종이를 몇 명에게 줄 수 있고, 몇 장이 남는지 구하세요.

(   ), (   )

마무리 연산

🐙 계산을 하세요.

1 $4\overline{)40}$

2 $4\overline{)60}$

3 $5\overline{)80}$

4 $4\overline{)56}$

5 $2\overline{)68}$

6 $4\overline{)84}$

7 $3\overline{)75}$

8 $7\overline{)84}$

9 $5\overline{)95}$

10 $8\overline{)69}$

11 $5\overline{)47}$

12 $7\overline{)66}$

13 $8\overline{)98}$

14 $2\overline{)55}$

15 $9\overline{)97}$

🐙 계산을 하세요.

16 30÷3

17 60÷3

18 70÷5

19 90÷6

20 34÷2

21 46÷2

22 72÷6

23 87÷3

24 36÷7

25 49÷8

26 58÷4

27 68÷5

28 76÷8

29 99÷4

2단계 나눗셈

마무리 연산

🐙 계산을 하세요.

1 3) 2 0 1

2 5) 3 6 5

3 3) 2 6 4

4 6) 9 0 6

5 3) 4 1 4

6 4) 6 6 0

7 7) 5 0 9

8 6) 4 6 0

9 7) 6 4 7

10 8) 8 4 9

11 3) 3 7 9

12 4) 5 8 6

13 6) 7 9 7

14 2) 2 4 7

15 2) 7 1 5

🐙 계산을 하세요.

16 $315 \div 5$

17 $252 \div 9$

18 $456 \div 3$

19 $387 \div 3$

20 $576 \div 4$

21 $780 \div 2$

22 $429 \div 6$

23 $899 \div 9$

24 $369 \div 6$

25 $744 \div 9$

26 $299 \div 2$

27 $495 \div 2$

28 $803 \div 3$

29 $689 \div 5$

3

분수

실수하지 않는 유일한
방법은 연습뿐이야!

학습 결과와 시간을 써 보세요!

학습 내용	학습 회차	맞힌 개수/걸린 시간
1. 진분수, 가분수, 대분수	DAY 01	/
	DAY 02	/
2. 가분수와 대분수	DAY 03	/
	DAY 04	/
3. 두 분수의 크기 비교	DAY 05	/
	DAY 06	/
마무리 연산	DAY 07	/

1. 진분수, 가분수, 대분수

● 진분수, 가분수, 대분수

- $\frac{1}{7}, \frac{2}{7}, \frac{3}{7}, \cdots\cdots$ → 진분수
  → 분자가 분모보다 작은 분수

- $\frac{7}{7}, \frac{8}{7}, \frac{9}{7}, \cdots\cdots$ → 가분수
  → 분자가 분모보다 크거나 같은 분수

- $1\frac{1}{7}, 2\frac{2}{7}, 3\frac{3}{7}, \cdots\cdots$ → 대분수
  → 자연수와 진분수로 이루어진 분수
  → 진분수
  → 자연수

$1\frac{8}{7}$과 같이 자연수와 가분수로 이루어져 있으면 대분수가 아니야!

🐙 진분수는 '진', 가분수는 '가', 대분수는 '대'를 쓰세요.

1 $\frac{2}{3}$ → (진) **2** $\frac{8}{7}$ → ( )

3 $1\frac{3}{8}$ → ( ) **4** $\frac{8}{11}$ → ( )

5 $\frac{9}{5}$ → ( ) **6** $\frac{5}{9}$ → ( )

7 $2\frac{3}{8}$ → ( ) **8** $\frac{2}{2}$ → ( )

🐙 알맞은 분수에 ○표 하세요.

9

진분수에 ○표 해!

$2\dfrac{3}{5}$ $\dfrac{4}{9}$ $\dfrac{13}{9}$

(　　　　)　(　　　　)　(　　　　)

10

가분수에 ○표 해!

$2\dfrac{3}{5}$ $\dfrac{4}{9}$ $\dfrac{13}{9}$

(　　　　)　(　　　　)　(　　　　)

11

대분수에 ○표 해!

$2\dfrac{2}{9}$ $\dfrac{9}{7}$ $\dfrac{2}{5}$

(　　　　)　(　　　　)　(　　　　)

12

진분수에 ○표 해!

$\dfrac{15}{4}$ $\dfrac{3}{8}$ $1\dfrac{5}{13}$

(　　　　)　(　　　　)　(　　　　)

13

가분수에 ○표 해!

$\dfrac{6}{11}$ $3\dfrac{9}{14}$ $\dfrac{13}{8}$

(　　　　)　(　　　　)　(　　　　)

1. 진분수, 가분수, 대분수

🐙 진분수는 '진', 가분수는 '가', 대분수는 '대'를 쓰세요.

1 $\dfrac{10}{6}$ ➡ (　　　　　) 　　 **2** $5\dfrac{4}{5}$ ➡ (　　　　　)

3 $\dfrac{4}{7}$ ➡ (　　　　　) 　　 **4** $\dfrac{3}{2}$ ➡ (　　　　　)

5 $1\dfrac{4}{9}$ ➡ (　　　　　) 　　 **6** $4\dfrac{1}{5}$ ➡ (　　　　　)

7 $\dfrac{13}{10}$ ➡ (　　　　　) 　　 **8** $\dfrac{39}{8}$ ➡ (　　　　　)

9 $\dfrac{5}{11}$ ➡ (　　　　　) 　　 **10** $1\dfrac{3}{4}$ ➡ (　　　　　)

11 $\dfrac{5}{9}$ ➡ (　　　　　) 　　 **12** $\dfrac{8}{7}$ ➡ (　　　　　)

🐙 진분수에 ○표, 가분수에 △표, 대분수에 □표 하세요.

13
$$\frac{7}{8} \qquad \frac{9}{4} \qquad 1\frac{1}{5}$$

14
$$2\frac{2}{3} \qquad \frac{7}{7} \qquad \frac{3}{10}$$

15
$$\frac{11}{10} \qquad 2\frac{1}{2} \qquad \frac{4}{6}$$

16
$$3\frac{5}{7} \qquad \frac{2}{9} \qquad \frac{7}{6}$$

17
$$4\frac{5}{12} \qquad \frac{9}{8} \qquad \frac{1}{11}$$

18
$$\frac{4}{10} \qquad 6\frac{6}{7} \qquad \frac{14}{5}$$

19
$$\frac{5}{6} \qquad 3\frac{1}{4} \qquad \frac{10}{7}$$

20
$$\frac{12}{5} \qquad \frac{6}{15} \qquad 4\frac{7}{10}$$

21
$$\frac{1}{6} \qquad \frac{8}{3} \qquad 2\frac{2}{3}$$

22
$$3\frac{4}{9} \qquad \frac{7}{10} \qquad \frac{6}{5}$$

23
$$1\frac{4}{9} \qquad \frac{17}{15} \qquad \frac{3}{10}$$

24
$$\frac{8}{10} \qquad 7\frac{3}{8} \qquad \frac{13}{11}$$

2. 가분수와 대분수

예 $2\dfrac{1}{3}$ 을 가분수로 나타내기

자연수를 가분수로 바꿔!

$$2\dfrac{1}{3}=2+\dfrac{1}{3}=\dfrac{6}{3}+\dfrac{1}{3}=\dfrac{7}{3}$$

자연수와 진분수의 합으로 나타내!

대분수를 가분수로 나타내어 보세요.

1 $3\dfrac{2}{3}$ **2** $4\dfrac{1}{4}$ **3** $1\dfrac{5}{7}$

4 $2\dfrac{5}{8}$ **5** $5\dfrac{3}{6}$ **6** $7\dfrac{3}{5}$

7 $3\dfrac{8}{9}$ **8** $6\dfrac{2}{6}$ **9** $9\dfrac{4}{5}$

10 $8\dfrac{1}{8}$ **11** $3\dfrac{5}{6}$ **12** $5\dfrac{4}{8}$

🐙 왼쪽 분수와 같은 분수를 찾아 쓰세요.

13 $2\frac{1}{9}$　　$\dfrac{20}{9}$　$\dfrac{18}{9}$　$\dfrac{19}{9}$

(　　　　　　)

14 $1\frac{1}{3}$　　$\dfrac{4}{3}$　$\dfrac{5}{3}$　$\dfrac{6}{3}$

(　　　　　　)

15 $7\frac{2}{3}$　　$\dfrac{21}{3}$　$\dfrac{23}{3}$　$\dfrac{25}{3}$

(　　　　　　)

16 $4\frac{3}{4}$　　$\dfrac{19}{4}$　$\dfrac{23}{4}$　$\dfrac{27}{4}$

(　　　　　　)

17 $4\frac{3}{6}$　　$\dfrac{27}{6}$　$\dfrac{31}{6}$　$\dfrac{33}{6}$

(　　　　　　)

18 $7\frac{3}{7}$　　$\dfrac{50}{7}$　$\dfrac{52}{7}$　$\dfrac{54}{7}$

(　　　　　　)

19 $5\frac{3}{5}$　　$\dfrac{28}{5}$　$\dfrac{29}{5}$　$\dfrac{30}{5}$

(　　　　　　)

20 $3\frac{2}{6}$　　$\dfrac{16}{6}$　$\dfrac{18}{6}$　$\dfrac{20}{6}$

(　　　　　　)

21 $8\frac{4}{6}$　　$\dfrac{46}{6}$　$\dfrac{49}{6}$　$\dfrac{52}{6}$

(　　　　　　)

22 $2\frac{2}{5}$　　$\dfrac{10}{5}$　$\dfrac{12}{5}$　$\dfrac{14}{5}$

(　　　　　　)

2. 가분수와 대분수

예 $\dfrac{7}{3}$ 을 대분수로 나타내기

방법 1 $\quad \dfrac{7}{3} = \dfrac{6}{3} + \dfrac{1}{3} = 2 + \dfrac{1}{3} = 2\dfrac{1}{3}$

나머지는 분자로!

방법 2 $\quad \dfrac{7}{3} \Rightarrow 7 \div 3 = 2 \cdots 1 \Rightarrow 2\dfrac{1}{3}$

몫은 자연수 부분으로!

분자를 분모로 나눠!

🐙 가분수를 대분수로 나타내어 보세요.

1 $\dfrac{9}{2}$

2 $\dfrac{14}{5}$

3 $\dfrac{20}{9}$

4 $\dfrac{33}{4}$

5 $\dfrac{25}{7}$

6 $\dfrac{29}{3}$

7 $\dfrac{63}{4}$

8 $\dfrac{55}{7}$

9 $\dfrac{51}{2}$

10 $\dfrac{44}{8}$

11 $\dfrac{50}{9}$

12 $\dfrac{65}{9}$

🐙 왼쪽 분수와 같은 분수를 찾아 쓰세요.

13 $\dfrac{29}{4}$ ┌ $7\dfrac{1}{4}$　$7\dfrac{3}{4}$　$7\dfrac{2}{4}$ ┐

(　　　　　　　)

14 $\dfrac{19}{5}$ ┌ $3\dfrac{2}{5}$　$3\dfrac{3}{5}$　$3\dfrac{4}{5}$ ┐

(　　　　　　　)

15 $\dfrac{53}{8}$ ┌ $5\dfrac{5}{8}$　$6\dfrac{5}{8}$　$7\dfrac{5}{8}$ ┐

(　　　　　　　)

16 $\dfrac{35}{6}$ ┌ $5\dfrac{3}{6}$　$5\dfrac{4}{6}$　$5\dfrac{5}{6}$ ┐

(　　　　　　　)

17 $\dfrac{16}{5}$ ┌ $3\dfrac{1}{5}$　$3\dfrac{2}{5}$　$3\dfrac{3}{5}$ ┐

(　　　　　　　)

18 $\dfrac{49}{9}$ ┌ $5\dfrac{3}{9}$　$5\dfrac{4}{9}$　$5\dfrac{5}{9}$ ┐

(　　　　　　　)

19 $\dfrac{24}{7}$ ┌ $3\dfrac{3}{7}$　$4\dfrac{3}{7}$　$5\dfrac{3}{7}$ ┐

(　　　　　　　)

20 $\dfrac{28}{13}$ ┌ $2\dfrac{1}{13}$　$2\dfrac{2}{13}$　$2\dfrac{3}{13}$ ┐

(　　　　　　　)

21 $\dfrac{14}{9}$ ┌ $1\dfrac{3}{9}$　$1\dfrac{4}{9}$　$1\dfrac{5}{9}$ ┐

(　　　　　　　)

22 $\dfrac{25}{11}$ ┌ $1\dfrac{3}{11}$　$2\dfrac{3}{11}$　$3\dfrac{3}{11}$ ┐

(　　　　　　　)

🎯 3단계 분수

3. 두 분수의 크기 비교

예 $\dfrac{16}{6}$ 과 $2\dfrac{5}{6}$ 의 크기 비교

$$\dfrac{16}{6} \,\bigcirc\!\!\!< \, 2\dfrac{5}{6} = \dfrac{17}{6} \quad \Rightarrow \quad 2\dfrac{5}{6} 를 \dfrac{17}{6} 로 고쳐서 \dfrac{16}{6} < \dfrac{17}{6} 로 비교$$

$$2\dfrac{4}{6} = \dfrac{16}{6} \,\bigcirc\!\!\!< \, 2\dfrac{5}{6} \quad \Rightarrow \quad \dfrac{16}{6} 을 2\dfrac{4}{6} 로 고쳐서 2\dfrac{4}{6} < 2\dfrac{5}{6} 로 비교$$

🐙 분수의 크기를 비교하여 ◯ 안에 >, =, <를 알맞게 써넣으세요.

1 $\quad 3\dfrac{1}{3} \bigcirc \dfrac{8}{3}$

2 $\quad \dfrac{11}{2} \bigcirc 5\dfrac{1}{2}$

3 $\quad 1\dfrac{6}{7} \bigcirc \dfrac{12}{7}$

4 $\quad \dfrac{15}{8} \bigcirc 1\dfrac{3}{8}$

5 $\quad 2\dfrac{4}{5} \bigcirc \dfrac{9}{5}$

6 $\quad \dfrac{22}{6} \bigcirc 3\dfrac{5}{6}$

7 $\quad 1\dfrac{9}{10} \bigcirc \dfrac{19}{10}$

8 $\quad \dfrac{30}{4} \bigcirc 6\dfrac{3}{4}$

9 $\quad 4\dfrac{1}{9} \bigcirc \dfrac{33}{9}$

10 $\quad \dfrac{27}{5} \bigcirc 5\dfrac{3}{5}$

11 $\quad 3\dfrac{2}{7} \bigcirc \dfrac{25}{7}$

12 $\quad \dfrac{23}{2} \bigcirc 10\dfrac{1}{2}$

🐙 더 큰 수에 색칠하세요.

13

$2\frac{2}{7}$　　$\frac{15}{7}$

14

$\frac{4}{3}$　　$1\frac{2}{3}$

15

$1\frac{6}{13}$　　$\frac{22}{13}$

16

$\frac{9}{5}$　　$1\frac{3}{5}$

17

$\frac{10}{9}$　　$1\frac{4}{9}$

18

$6\frac{2}{3}$　　$\frac{17}{3}$

19

$\frac{29}{6}$　　$4\frac{1}{6}$

20

$\frac{17}{7}$　　$2\frac{5}{7}$

21

$2\frac{1}{11}$　　$\frac{24}{11}$

22

$1\frac{5}{8}$　　$\frac{11}{8}$

3. 두 분수의 크기 비교

🐙 분수의 크기를 비교하여 ◯ 안에 >, =, <를 알맞게 써넣으세요.

1 $2\frac{2}{6}$ ◯ $\frac{11}{6}$

2 $\frac{10}{9}$ ◯ $1\frac{3}{9}$

3 $\frac{7}{6}$ ◯ $1\frac{1}{6}$

4 $3\frac{1}{3}$ ◯ $\frac{13}{3}$

5 $3\frac{3}{5}$ ◯ $\frac{18}{5}$

6 $\frac{23}{8}$ ◯ $2\frac{5}{8}$

7 $1\frac{3}{7}$ ◯ $\frac{9}{7}$

8 $1\frac{5}{8}$ ◯ $\frac{15}{8}$

9 $4\frac{3}{5}$ ◯ $\frac{22}{5}$

10 $5\frac{3}{4}$ ◯ $\frac{27}{4}$

11 $\frac{30}{8}$ ◯ $3\frac{7}{8}$

12 $8\frac{2}{3}$ ◯ $\frac{26}{3}$

13 $\frac{41}{15}$ ◯ $2\frac{14}{15}$

14 $4\frac{3}{11}$ ◯ $\frac{47}{11}$

15 $\frac{27}{13}$ ◯ $2\frac{2}{13}$

16 $6\frac{5}{6}$ ◯ $\frac{31}{6}$

17 $\frac{49}{9}$ ◯ $5\frac{5}{9}$

18 $6\frac{6}{7}$ ◯ $\frac{50}{7}$

가장 큰 분수와 가장 작은 분수를 구하세요.

19

$$3\frac{2}{3} \qquad \frac{14}{3} \qquad \frac{8}{3}$$

가장 큰 분수 (　　　　　　)

가장 작은 분수 (　　　　　　)

20

$$\frac{23}{4} \qquad 5\frac{1}{4} \qquad 4\frac{3}{4}$$

가장 큰 분수 (　　　　　　)

가장 작은 분수 (　　　　　　)

21

$$3\frac{5}{6} \qquad 3\frac{1}{6} \qquad \frac{25}{6}$$

가장 큰 분수 (　　　　　　)

가장 작은 분수 (　　　　　　)

22

$$\frac{31}{5} \qquad 6\frac{2}{5} \qquad \frac{33}{5}$$

가장 큰 분수 (　　　　　　)

가장 작은 분수 (　　　　　　)

23

$$\frac{33}{7} \qquad \frac{36}{7} \qquad 4\frac{3}{7}$$

가장 큰 분수 (　　　　　　)

가장 작은 분수 (　　　　　　)

24

$$5\frac{2}{9} \qquad \frac{46}{9} \qquad \frac{49}{9}$$

가장 큰 분수 (　　　　　　)

가장 작은 분수 (　　　　　　)

💡 **생활 속 연산**

식빵 한 개를 만드는 데 이준이는 밀가루를 $\frac{27}{8}$컵 사용했고, 하은

이는 $3\frac{5}{8}$컵 사용했습니다. 밀가루를 더 많이 사용한 사람은 누구

인지 구하세요.

(　　　　　　)

◎ 3단계 분수

마무리 연산

🐙 진분수는 '진', 가분수는 '가', 대분수는 '대'를 쓰세요.

1 $5\dfrac{2}{9}$ ➡ (   )

2 $\dfrac{11}{11}$ ➡ (   )

3 $\dfrac{6}{17}$ ➡ (   )

4 $4\dfrac{13}{20}$ ➡ (   )

5 $\dfrac{30}{15}$ ➡ (   )

6 $\dfrac{13}{14}$ ➡ (   )

🐙 대분수는 가분수로, 가분수는 대분수로 나타내어 보세요.

7 $10\dfrac{1}{2}$

8 $\dfrac{23}{4}$

9 $9\dfrac{2}{3}$

10 $\dfrac{34}{5}$

11 $2\dfrac{10}{11}$

12 $\dfrac{37}{6}$

13 $4\dfrac{5}{9}$

14 $\dfrac{47}{8}$

15 $7\dfrac{1}{7}$

분수의 크기를 비교하여 ◯ 안에 >, =, <를 알맞게 써넣으세요.

16 $3\frac{1}{4}$ ◯ $\frac{15}{4}$　　　　**17** $\frac{10}{8}$ ◯ $1\frac{5}{8}$　　　　**18** $5\frac{2}{3}$ ◯ $\frac{17}{3}$

19 $\frac{20}{7}$ ◯ $3\frac{3}{7}$　　　　**20** $2\frac{1}{12}$ ◯ $\frac{25}{12}$　　　　**21** $\frac{30}{9}$ ◯ $3\frac{2}{9}$

22 $5\frac{4}{6}$ ◯ $\frac{33}{6}$　　　　**23** $\frac{36}{5}$ ◯ $6\frac{2}{5}$　　　　**24** $3\frac{7}{10}$ ◯ $\frac{39}{10}$

25 $\frac{44}{8}$ ◯ $5\frac{4}{8}$　　　　**26** $13\frac{1}{3}$ ◯ $\frac{39}{3}$　　　　**27** $\frac{48}{7}$ ◯ $6\frac{5}{7}$

28 $10\frac{2}{4}$ ◯ $\frac{45}{4}$　　　　**29** $\frac{35}{6}$ ◯ $7\frac{3}{6}$　　　　**30** $5\frac{7}{9}$ ◯ $\frac{50}{9}$

31 $\frac{49}{5}$ ◯ $9\frac{4}{5}$　　　　**32** $3\frac{9}{15}$ ◯ $\frac{53}{15}$　　　　**33** $\frac{58}{7}$ ◯ $8\frac{1}{7}$

4

들이

학습 결과와 시간을 써 보세요!

학습 내용	학습 회차	맞힌 개수/걸린 시간
1. mL와 L 사이의 관계	DAY 01	/
	DAY 02	/
2. 받아올림이 없는 들이의 합	DAY 03	/
	DAY 04	/
3. 받아올림이 있는 들이의 합	DAY 05	/
	DAY 06	/
4. 받아내림이 없는 들이의 차	DAY 07	/
	DAY 08	/
5. 받아내림이 있는 들이의 차	DAY 09	/
	DAY 10	/
마무리 연산	DAY 11	/
	DAY 12	/

기초력 상승!

하나 둘! 하나 둘!

🎯 4단계 들이

1. mL와 L 사이의 관계

● mL와 L 사이의 관계

쓰기	1 L	1 mL
읽기	1 리터	1 밀리리터

1 L=1000 mL

1 리터는 ▨ 만큼을 그릇에 담은 양이고, 1 밀리리터는 ▨ 만큼을 그릇에 담은 양이야!

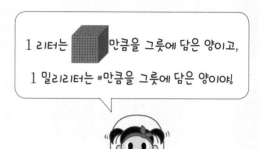

• 1 L 400 mL
  =1000 mL+400 mL=1400 mL

🐙 □ 안에 알맞은 수를 써넣으세요.

1 2 L= 2000 mL

2 4000 mL= □ L

3 1 L 500 mL= □ mL

4 10000 mL= □ L

5 3 L 700 mL= □ mL

6 6300 mL= □ L □ mL

7 4 L 70 mL= □ mL

8 10010 mL= □ L □ mL

🐙 같은 들이가 되도록 ☐ 안에 알맞은 수를 써넣으세요.

9 3 L = ☐ mL

10 5000 mL = ☐ L

11 2 L 700 mL = ☐ mL

12 3500 mL = ☐ L ☐ mL

13 4 L 200 mL = ☐ mL

14 9300 mL = ☐ L ☐ mL

15 2 L 50 mL = ☐ mL

16 6150 mL = ☐ L ☐ mL

17 5 L 600 mL = ☐ mL

18 7400 mL = ☐ L ☐ mL

19 9 L 900 mL = ☐ mL

20 4009 mL = ☐ L ☐ mL

21 7 L 50 mL = ☐ mL

22 8800 mL = ☐ L ☐ mL

◎ 4단계 들이

1. mL와 L 사이의 관계

🐙 ☐ 안에 알맞은 수를 써넣으세요.

1 1 L 500 mL = ☐ mL

2 1900 mL = ☐ L ☐ mL

3 2 L 800 mL = ☐ mL

4 3300 mL = ☐ L ☐ mL

5 3 L 750 mL = ☐ mL

6 4100 mL = ☐ L ☐ mL

7 8 L 580 mL = ☐ mL

8 5600 mL = ☐ L ☐ mL

9 7 L 70 mL = ☐ mL

10 8002 mL = ☐ L ☐ mL

11 2 L 3 mL = ☐ mL

12 7090 mL = ☐ L ☐ mL

13 6 L 170 mL = ☐ mL

14 9444 mL = ☐ L ☐ mL

15 주어진 들이와 같은 들이가 적힌 길로 가려고 합니다. 소년이 가야하는 길을 선으로 이으세요.

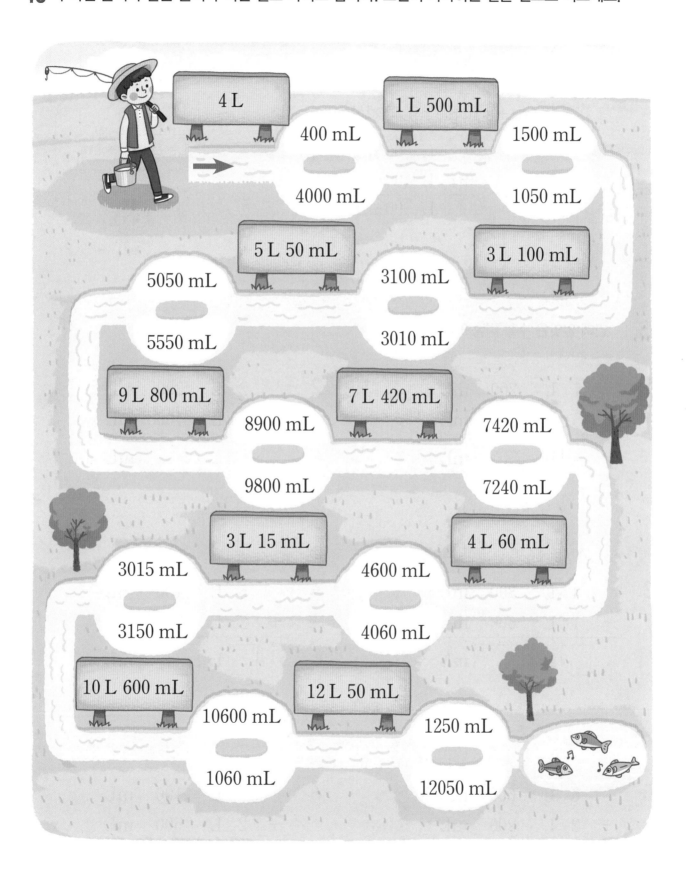

◎ 4단계 들이

2. 받아올림이 없는 들이의 합

예 1 L 500 mL + 2 L 400 mL의 계산

```
    1 L  500 mL
 +  2 L  400 mL
 ──────────────
    3 L  900 mL
```

mL는 mL끼리,
L는 L끼리 더해야 해!

🐙 ☐ 안에 알맞은 수를 써넣으세요.

1
```
    1 L  200 mL
 +  3 L  300 mL
 ──────────────
    4 L  500 mL
```

2
```
    2 L  300 mL
 +  2 L  100 mL
 ──────────────
    ☐ L  ☐ mL
```

3
```
    4 L  300 mL
 +  1 L  600 mL
 ──────────────
    ☐ L  ☐ mL
```

4
```
    5 L  100 mL
 +  2 L  700 mL
 ──────────────
    ☐ L  ☐ mL
```

5
```
    6 L  600 mL
 +  2 L  200 mL
 ──────────────
    ☐ L  ☐ mL
```

6
```
    7 L  100 mL
 +  2 L  500 mL
 ──────────────
    ☐ L  ☐ mL
```

🐙 계산을 하세요.

7
$$\begin{array}{r} 2\ \text{L} \ \ 100\ \text{mL} \\ +\ 3\ \text{L} \ \ 500\ \text{mL} \\ \hline \end{array}$$

8
$$\begin{array}{r} 3\ \text{L} \ \ 600\ \text{mL} \\ +\ 4\ \text{L} \ \ 250\ \text{mL} \\ \hline \end{array}$$

9
$$\begin{array}{r} 5\ \text{L} \ \ 600\ \text{mL} \\ +\ 1\ \text{L} \ \ 100\ \text{mL} \\ \hline \end{array}$$

10
$$\begin{array}{r} 6\ \text{L} \ \ 600\ \text{mL} \\ +\ 3\ \text{L} \ \ 100\ \text{mL} \\ \hline \end{array}$$

11
$$\begin{array}{r} 7\ \text{L} \ \ 550\ \text{mL} \\ +\ 2\ \text{L} \ \ 250\ \text{mL} \\ \hline \end{array}$$

12
$$\begin{array}{r} 8\ \text{L} \ \ 250\ \text{mL} \\ +\ 10\ \text{L} \ \ 250\ \text{mL} \\ \hline \end{array}$$

13
$$\begin{array}{r} 11\ \text{L} \ \ 520\ \text{mL} \\ +\ 12\ \text{L} \ \ 340\ \text{mL} \\ \hline \end{array}$$

14
$$\begin{array}{r} 16\ \text{L} \ \ 210\ \text{mL} \\ +\ 7\ \text{L} \ \ 390\ \text{mL} \\ \hline \end{array}$$

15
$$\begin{array}{r} 15\ \text{L} \ \ 600\ \text{mL} \\ +\ 13\ \text{L} \ \ 200\ \text{mL} \\ \hline \end{array}$$

16
$$\begin{array}{r} 9\ \text{L} \ \ 150\ \text{mL} \\ +\ 19\ \text{L} \ \ 450\ \text{mL} \\ \hline \end{array}$$

4단계 들이

2. 받아올림이 없는 들이의 합

계산을 하세요.

1 1 L 700 mL＋4 L 200 mL

2 2 L 400 mL＋1 L 200 mL

3 2 L 200 mL＋4 L 500 mL

4 5 L 250 mL＋3 L 600 mL

5 6 L 150 mL＋1 L 300 mL

6 4 L 330 mL＋3 L 420 mL

7 4 L 230 mL＋4 L 390 mL

8 9 L 140 mL＋10 L 590 mL

9 5 L 530 mL＋4 L 270 mL

10 3 L 80 mL＋6 L 310 mL

11 7 L 50 mL＋2 L 650 mL

12 8 L 540 mL＋1 L 170 mL

13 10 L 190 mL＋15 L 450 mL

14 8 L 480 mL＋16 L 130 mL

🐙 ☐ 안에 알맞은 수를 써넣으세요.

15 3 L 450 mL

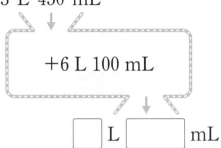

+6 L 100 mL

☐ L ☐ mL

16 4 L 530 mL

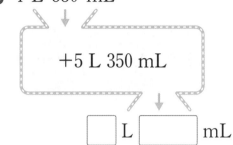

+5 L 350 mL

☐ L ☐ mL

17 7 L 220 mL

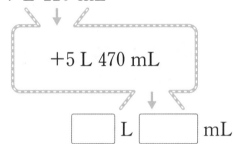

+5 L 470 mL

☐ L ☐ mL

18 8 L 900 mL

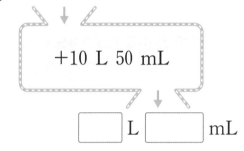

+10 L 50 mL

☐ L ☐ mL

19 14 L 190 mL

+3 L 160 mL

☐ L ☐ mL

20 6 L 270 mL

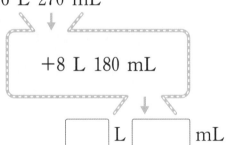

+8 L 180 mL

☐ L ☐ mL

21 9 L 50 mL

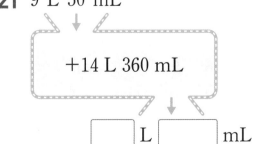

+14 L 360 mL

☐ L ☐ mL

22 6 L 150 mL

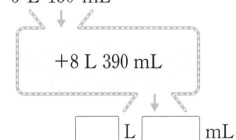

+8 L 390 mL

☐ L ☐ mL

◎ 4단계 들이

3. 받아올림이 있는 들이의 합

예 2 L 700 mL+1 L 900 mL의 계산

$$
\begin{array}{r}
1 \\
2 \ \text{L} \ \ 700 \ \text{mL} \\
+ \ 1 \ \text{L} \ \ 900 \ \text{mL} \\
\hline
4 \ \text{L} \ \ 600 \ \text{mL}
\end{array}
$$

1000 mL는 1 L로
받아올림하여 계산해!

🐙 ☐ 안에 알맞은 수를 써넣으세요.

1
$$
\begin{array}{r}
\boxed{1} \\
1 \ \text{L} \ \ \ \ 400 \ \ \text{mL} \\
+ \ 4 \ \text{L} \ \ \ \ 700 \ \ \text{mL} \\
\hline
\boxed{6} \ \text{L} \ \boxed{100} \ \text{mL}
\end{array}
$$

2
$$
\begin{array}{r}
\boxed{\ } \\
2 \ \text{L} \ \ \ \ 500 \ \ \text{mL} \\
+ \ 3 \ \text{L} \ \ \ \ 800 \ \ \text{mL} \\
\hline
\boxed{\ } \ \text{L} \ \boxed{\ \ \ } \ \text{mL}
\end{array}
$$

3
$$
\begin{array}{r}
\boxed{\ } \\
3 \ \text{L} \ \ \ \ 100 \ \ \text{mL} \\
+ \ 6 \ \text{L} \ \ \ \ 950 \ \ \text{mL} \\
\hline
\boxed{\ } \ \text{L} \ \boxed{\ } \ \text{mL}
\end{array}
$$

4
$$
\begin{array}{r}
\boxed{\ } \\
4 \ \text{L} \ \ \ \ 700 \ \ \text{mL} \\
+ \ 3 \ \text{L} \ \ \ \ 500 \ \ \text{mL} \\
\hline
\boxed{\ } \ \text{L} \ \boxed{\ \ \ } \ \text{mL}
\end{array}
$$

5
$$
\begin{array}{r}
\boxed{\ } \\
5 \ \text{L} \ \ \ \ 600 \ \ \text{mL} \\
+ \ 4 \ \text{L} \ \ \ \ 900 \ \ \text{mL} \\
\hline
\boxed{\ } \ \text{L} \ \boxed{\ \ \ } \ \text{mL}
\end{array}
$$

6
$$
\begin{array}{r}
\boxed{\ } \\
6 \ \text{L} \ \ \ \ 550 \ \ \text{mL} \\
+ \ 3 \ \text{L} \ \ \ \ 600 \ \ \text{mL} \\
\hline
\boxed{\ } \ \text{L} \ \boxed{\ \ \ } \ \text{mL}
\end{array}
$$

🐙 계산을 하세요.

7
$$\begin{array}{r} 1 \text{ L} \quad 900 \text{ mL} \\ + \ 5 \text{ L} \quad 200 \text{ mL} \\ \hline \end{array}$$

8
$$\begin{array}{r} 2 \text{ L} \quad 800 \text{ mL} \\ + \ 4 \text{ L} \quad 500 \text{ mL} \\ \hline \end{array}$$

9
$$\begin{array}{r} 4 \text{ L} \quad 600 \text{ mL} \\ + \ 5 \text{ L} \quad 800 \text{ mL} \\ \hline \end{array}$$

10
$$\begin{array}{r} 5 \text{ L} \quad 500 \text{ mL} \\ + \ 3 \text{ L} \quad 900 \text{ mL} \\ \hline \end{array}$$

11
$$\begin{array}{r} 7 \text{ L} \quad 400 \text{ mL} \\ + \ 1 \text{ L} \quad 850 \text{ mL} \\ \hline \end{array}$$

12
$$\begin{array}{r} 8 \text{ L} \quad 900 \text{ mL} \\ + \ 2 \text{ L} \quad 900 \text{ mL} \\ \hline \end{array}$$

13
$$\begin{array}{r} 10 \text{ L} \quad 800 \text{ mL} \\ + \ \ 6 \text{ L} \quad 900 \text{ mL} \\ \hline \end{array}$$

14
$$\begin{array}{r} 12 \text{ L} \quad 550 \text{ mL} \\ + \ \ 7 \text{ L} \quad 500 \text{ mL} \\ \hline \end{array}$$

15
$$\begin{array}{r} 16 \text{ L} \quad 600 \text{ mL} \\ + \ \ 9 \text{ L} \quad 500 \text{ mL} \\ \hline \end{array}$$

16
$$\begin{array}{r} 18 \text{ L} \quad 700 \text{ mL} \\ + \ 12 \text{ L} \quad 400 \text{ mL} \\ \hline \end{array}$$

3. 받아올림이 있는 들이의 합

🐙 계산을 하세요.

1 3 L 200 mL＋4 L 900 mL

2 4 L 500 mL＋2 L 700 mL

3 5 L 800 mL＋6 L 400 mL

4 9 L 800 mL＋3 L 300 mL

5 7 L 900 mL＋5 L 300 mL

6 8 L 700 mL＋3 L 500 mL

7 9 L 650 mL＋7 L 650 mL

8 6 L 670 mL＋1 L 730 mL

9 3 L 650 mL＋8 L 500 mL

10 5 L 890 mL＋9 L 550 mL

11 7 L 570 mL＋12 L 690 mL

12 11 L 220 mL＋6 L 990 mL

13 4 L 380 mL＋3 L 780 mL

14 6 L 590 mL＋18 L 730 mL

🐙 빈 곳에 알맞은 들이의 합을 써넣으세요.

15

+12 L 850 mL

5 L 700 mL ⟶ 　

16

+16 L 730 mL

7 L 280 mL ⟶ 　

17

+4 L 660 mL

3 L 550 mL ⟶ 　

18

+8 L 590 mL

4 L 950 mL ⟶ 　

19

+9 L 270 mL

10 L 830 mL ⟶ 　

20

+6 L 650 mL

5 L 690 mL ⟶ 　

21

+2 L 490 mL

3 L 560 mL ⟶ 　

22

+12 L 870 mL

9 L 290 mL ⟶ 　

💡 **생활 속 연산**

지석이와 선아가 마신 우유의 양은 모두 몇 L 몇 mL인지 구하세요.

이름	지석	선아
마신 우유의 양	1 L 200 mL	1 L 850 mL

(　　　　　)

🎯 4단계 들이

4. 받아내림이 없는 들이의 차

예 2 L 500 mL−1 L 400 mL의 계산

$$\begin{array}{r} 2 \text{ L} \quad 500 \text{ mL} \\ -\ 1 \text{ L} \quad 400 \text{ mL} \\ \hline 1 \text{ L} \quad 100 \text{ mL} \end{array}$$

mL는 mL끼리,
L는 L끼리 빼야 해!

🐙 □ 안에 알맞은 수를 써넣으세요.

1
$$\begin{array}{r} 3 \text{ L} \quad 400 \text{ mL} \\ -\ 1 \text{ L} \quad 300 \text{ mL} \\ \hline \boxed{2} \text{ L} \quad \boxed{100} \text{ mL} \end{array}$$

2
$$\begin{array}{r} 4 \text{ L} \quad 700 \text{ mL} \\ -\ 2 \text{ L} \quad 500 \text{ mL} \\ \hline \boxed{} \text{ L} \quad \boxed{} \text{ mL} \end{array}$$

3
$$\begin{array}{r} 5 \text{ L} \quad 800 \text{ mL} \\ -\ 2 \text{ L} \quad 400 \text{ mL} \\ \hline \boxed{} \text{ L} \quad \boxed{} \text{ mL} \end{array}$$

4
$$\begin{array}{r} 9 \text{ L} \quad 900 \text{ mL} \\ -\ 2 \text{ L} \quad 100 \text{ mL} \\ \hline \boxed{} \text{ L} \quad \boxed{} \text{ mL} \end{array}$$

5
$$\begin{array}{r} 7 \text{ L} \quad 900 \text{ mL} \\ -\ 4 \text{ L} \quad 500 \text{ mL} \\ \hline \boxed{} \text{ L} \quad \boxed{} \text{ mL} \end{array}$$

6
$$\begin{array}{r} 8 \text{ L} \quad 600 \text{ mL} \\ -\ 5 \text{ L} \quad 300 \text{ mL} \\ \hline \boxed{} \text{ L} \quad \boxed{} \text{ mL} \end{array}$$

🐙 계산을 하세요.

7
$$\begin{array}{r} 3 \text{ L } 600 \text{ mL} \\ - 2 \text{ L } 400 \text{ mL} \\ \hline \end{array}$$

8
$$\begin{array}{r} 4 \text{ L } 810 \text{ mL} \\ - 1 \text{ L } 350 \text{ mL} \\ \hline \end{array}$$

9
$$\begin{array}{r} 6 \text{ L } 830 \text{ mL} \\ - 1 \text{ L } 690 \text{ mL} \\ \hline \end{array}$$

10
$$\begin{array}{r} 7 \text{ L } 950 \text{ mL} \\ - 2 \text{ L } 550 \text{ mL} \\ \hline \end{array}$$

11
$$\begin{array}{r} 7 \text{ L } 300 \text{ mL} \\ - 3 \text{ L } 150 \text{ mL} \\ \hline \end{array}$$

12
$$\begin{array}{r} 8 \text{ L } 650 \text{ mL} \\ - 4 \text{ L } 300 \text{ mL} \\ \hline \end{array}$$

13
$$\begin{array}{r} 8 \text{ L } 410 \text{ mL} \\ - 6 \text{ L } 170 \text{ mL} \\ \hline \end{array}$$

14
$$\begin{array}{r} 9 \text{ L } 910 \text{ mL} \\ - 2 \text{ L } 780 \text{ mL} \\ \hline \end{array}$$

15
$$\begin{array}{r} 15 \text{ L } 900 \text{ mL} \\ - 9 \text{ L } 350 \text{ mL} \\ \hline \end{array}$$

16
$$\begin{array}{r} 20 \text{ L } 590 \text{ mL} \\ - 11 \text{ L } 400 \text{ mL} \\ \hline \end{array}$$

◎ 4단계 들이

4. 받아내림이 없는 들이의 차

🐙 계산을 하세요.

1 4 L 900 mL−3 L 200 mL

2 5 L 800 mL−1 L 600 mL

3 6 L 700 mL−2 L 100 mL

4 6 L 600 mL−4 L 500 mL

5 9 L 900 mL−4 L 400 mL

6 8 L 800 mL−7 L 570 mL

7 8 L 300 mL−3 L 150 mL

8 6 L 500 mL−4 L 120 mL

9 7 L 430 mL−6 L 270 mL

10 9 L 720 mL−6 L 190 mL

11 11 L 600 mL−10 L 270 mL

12 14 L 450 mL−8 L 180 mL

13 17 L 520 mL−15 L 390 mL

14 22 L 550 mL−13 L 280 mL

□ 안에 알맞은 수를 써넣으세요.

15 8 L 960 mL
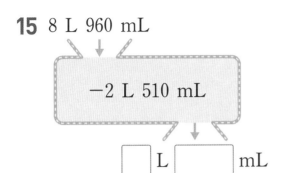
−2 L 510 mL
□ L □ mL

16 9 L 850 mL
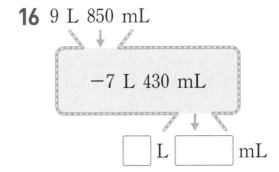
−7 L 430 mL
□ L □ mL

17 3 L 740 mL
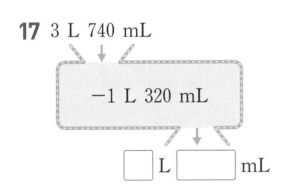
−1 L 320 mL
□ L □ mL

18 5 L 690 mL
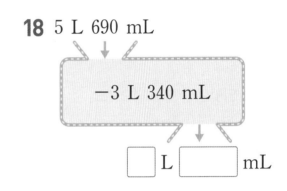
−3 L 340 mL
□ L □ mL

19 8 L 530 mL
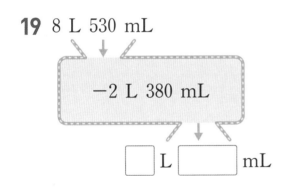
−2 L 380 mL
□ L □ mL

20 9 L 920 mL
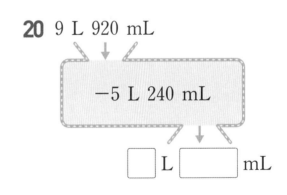
−5 L 240 mL
□ L □ mL

21 14 L 340 mL
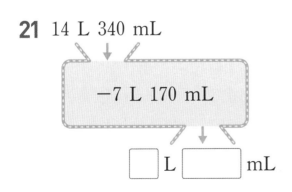
−7 L 170 mL
□ L □ mL

22 18 L 200 mL
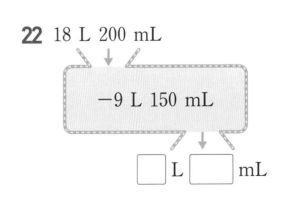
−9 L 150 mL
□ L □ mL

◎4단계 들이

5. 받아내림이 있는 들이의 차

예 3 L 100 mL−1 L 500 mL의 계산

$$
\begin{array}{r}
\overset{2}{\cancel{3}}\ \text{L}\quad \overset{1000}{100}\ \text{mL} \\
-\ 1\ \text{L}\quad 500\ \text{mL} \\
\hline
1\ \text{L}\quad 600\ \text{mL}
\end{array}
$$

1 L를 1000 mL로 받아내림하여 계산해!

🐙 ☐ 안에 알맞은 수를 써넣으세요.

1

$$
\begin{array}{r}
\boxed{2}\qquad \boxed{1000} \\
\overset{}{\cancel{3}}\ \text{L}\quad 300\ \text{mL} \\
-\ 1\ \text{L}\quad 600\ \text{mL} \\
\hline
\boxed{1}\ \text{L}\quad \boxed{700}\ \text{mL}
\end{array}
$$

2

$$
\begin{array}{r}
\boxed{}\qquad \boxed{} \\
\cancel{4}\ \text{L}\quad 100\ \text{mL} \\
-\ 2\ \text{L}\quad 800\ \text{mL} \\
\hline
\boxed{}\ \text{L}\quad \boxed{}\ \text{mL}
\end{array}
$$

3

$$
\begin{array}{r}
\boxed{}\qquad \boxed{} \\
\cancel{6}\ \text{L}\quad 400\ \text{mL} \\
-\ 2\ \text{L}\quad 500\ \text{mL} \\
\hline
\boxed{}\ \text{L}\quad \boxed{}\ \text{mL}
\end{array}
$$

4

$$
\begin{array}{r}
\boxed{}\qquad \boxed{} \\
\cancel{7}\ \text{L}\quad 200\ \text{mL} \\
-\ 4\ \text{L}\quad 800\ \text{mL} \\
\hline
\boxed{}\ \text{L}\quad \boxed{}\ \text{mL}
\end{array}
$$

5

$$
\begin{array}{r}
\boxed{}\qquad \boxed{} \\
\cancel{9}\ \text{L}\quad 700\ \text{mL} \\
-\ 1\ \text{L}\quad 900\ \text{mL} \\
\hline
\boxed{}\ \text{L}\quad \boxed{}\ \text{mL}
\end{array}
$$

6

$$
\begin{array}{r}
\boxed{}\qquad \boxed{} \\
\cancel{10}\ \text{L}\quad 300\ \text{mL} \\
-\ 5\ \text{L}\quad 700\ \text{mL} \\
\hline
\boxed{}\ \text{L}\quad \boxed{}\ \text{mL}
\end{array}
$$

한 날 월   일

🐙 계산을 하세요.

7
$$
\begin{array}{r}
4\ \text{L}\ \ 100\ \text{mL} \\
-\ 1\ \text{L}\ \ 800\ \text{mL} \\
\hline
\end{array}
$$

8
$$
\begin{array}{r}
5\ \text{L}\ \ 100\ \text{mL} \\
-\ 2\ \text{L}\ \ 300\ \text{mL} \\
\hline
\end{array}
$$

9
$$
\begin{array}{r}
6\ \text{L}\ \ 200\ \text{mL} \\
-\ 4\ \text{L}\ \ 500\ \text{mL} \\
\hline
\end{array}
$$

10
$$
\begin{array}{r}
7\ \text{L}\ \ 300\ \text{mL} \\
-\ 2\ \text{L}\ \ 400\ \text{mL} \\
\hline
\end{array}
$$

11
$$
\begin{array}{r}
8\ \text{L}\ \ 100\ \text{mL} \\
-\ 5\ \text{L}\ \ 600\ \text{mL} \\
\hline
\end{array}
$$

12
$$
\begin{array}{r}
9\ \text{L}\ \ 400\ \text{mL} \\
-\ 6\ \text{L}\ \ 800\ \text{mL} \\
\hline
\end{array}
$$

13
$$
\begin{array}{r}
12\ \text{L}\ \ 500\ \text{mL} \\
-\ 4\ \text{L}\ \ 900\ \text{mL} \\
\hline
\end{array}
$$

14
$$
\begin{array}{r}
14\ \text{L}\ \ 200\ \text{mL} \\
-\ 8\ \text{L}\ \ 300\ \text{mL} \\
\hline
\end{array}
$$

15
$$
\begin{array}{r}
23\ \text{L}\ \ 400\ \text{mL} \\
-\ 10\ \text{L}\ \ 700\ \text{mL} \\
\hline
\end{array}
$$

16
$$
\begin{array}{r}
25\ \text{L}\ \ 100\ \text{mL} \\
-\ 15\ \text{L}\ \ 200\ \text{mL} \\
\hline
\end{array}
$$

◎ 4단계 들이

5. 받아내림이 있는 들이의 차

 계산을 하세요.

1 5 L 100 mL−1 L 900 mL

2 6 L 600 mL−1 L 700 mL

3 7 L 300 mL−3 L 800 mL

4 8 L 200 mL−2 L 900 mL

5 7 L 400 mL−5 L 550 mL

6 8 L 150 mL−4 L 800 mL

7 9 L 210 mL−3 L 640 mL

8 10 L 800 mL−6 L 910 mL

9 9 L 20 mL−5 L 300 mL

10 13 L 370 mL−8 L 590 mL

11 17 L 190 mL−11 L 730 mL

12 19 L 410 mL−9 L 830 mL

13 20 L 750 mL−13 L 810 mL

14 22 L 30 mL−17 L 390 mL

🐙 빈 곳에 알맞은 들이의 차를 써넣으세요.

15
−1 L 830 mL

7 L 260 mL →

16
−3 L 930 mL

8 L 390 mL →

17
−4 L 500 mL

9 L 150 mL →

18
−7 L 750 mL

15 L 400 mL →

19
−9 L 60 mL

13 L 10 mL →

20
−6 L 120 mL

15 L 10 mL →

21
−5 L 380 mL

9 L 40 mL →

22
−8 L 870 mL

18 L 820 mL →

💡 생활 속 연산

가습기에 3 L 250 mL만큼 물을 채워 작동시켰습니다. 5시간 후 남은 물이 1 L 800 mL일 때, 수증기로 변한 물의 양은 몇 L 몇 mL인지 구하세요.

(   )

◎ 4단계 들이

마무리 연산

🐙 ☐ 안에 알맞은 수를 써넣으세요.

1
$$\begin{array}{r} 1\ \text{L} \quad 800\ \text{mL} \\ +\ 7\ \text{L} \quad 100\ \text{mL} \\ \hline \boxed{}\ \text{L}\ \boxed{}\ \text{mL} \end{array}$$

2
$$\begin{array}{r} 2\ \text{L} \quad 400\ \text{mL} \\ +\ 5\ \text{L} \quad 200\ \text{mL} \\ \hline \boxed{}\ \text{L}\ \boxed{}\ \text{mL} \end{array}$$

3
$$\begin{array}{r} 4\ \text{L} \quad 150\ \text{mL} \\ +\ 7\ \text{L} \quad 550\ \text{mL} \\ \hline \boxed{}\ \text{L}\ \boxed{}\ \text{mL} \end{array}$$

4
$$\begin{array}{r} 5\ \text{L} \quad 120\ \text{mL} \\ +\ 5\ \text{L} \quad 390\ \text{mL} \\ \hline \boxed{}\ \text{L}\ \boxed{}\ \text{mL} \end{array}$$

5
$$\begin{array}{r} 7\ \text{L} \quad 860\ \text{mL} \\ +\ 5\ \text{L} \quad 550\ \text{mL} \\ \hline \boxed{}\ \text{L}\ \boxed{}\ \text{mL} \end{array}$$

6
$$\begin{array}{r} 8\ \text{L} \quad 100\ \text{mL} \\ +\ 4\ \text{L} \quad 950\ \text{mL} \\ \hline \boxed{}\ \text{L}\ \boxed{}\ \text{mL} \end{array}$$

7
$$\begin{array}{r} 10\ \text{L} \quad 900\ \text{mL} \\ +\ 8\ \text{L} \quad 600\ \text{mL} \\ \hline \boxed{}\ \text{L}\ \boxed{}\ \text{mL} \end{array}$$

8
$$\begin{array}{r} 11\ \text{L} \quad 790\ \text{mL} \\ +\ 9\ \text{L} \quad 830\ \text{mL} \\ \hline \boxed{}\ \text{L}\ \boxed{}\ \text{mL} \end{array}$$

9
$$\begin{array}{r} 13\ \text{L} \quad 700\ \text{mL} \\ +\ 16\ \text{L} \quad 400\ \text{mL} \\ \hline \boxed{}\ \text{L}\ \boxed{}\ \text{mL} \end{array}$$

10
$$\begin{array}{r} 14\ \text{L} \quad 350\ \text{mL} \\ +\ 18\ \text{L} \quad 800\ \text{mL} \\ \hline \boxed{}\ \text{L}\ \boxed{}\ \text{mL} \end{array}$$

🐙 계산을 하세요.

11 2 L 250 mL＋4 L 700 mL

12 3 L 330 mL＋5 L 440 mL

13 4 L 600 mL＋6 L 250 mL

14 5 L 170 mL＋7 L 520 mL

15 2 L 70 mL＋3 L 540 mL

16 7 L 710 mL＋10 L 30 mL

17 6 L 550 mL＋3 L 950 mL

18 9 L 330 mL＋3 L 820 mL

19 3 L 910 mL＋5 L 810 mL

20 4 L 90 mL＋7 L 980 mL

21 6 L 740 mL＋8 L 600 mL

22 8 L 260 mL＋12 L 940 mL

23 3 L 850 mL＋14 L 850 mL

24 7 L 310 mL＋5 L 740 mL

⊙ 4단계 들이

마무리 연산

🐙 ☐ 안에 알맞은 수를 써넣으세요.

1
    2 L   900 mL
− 1 L   100 mL
   ☐ L ☐ mL

2
    3 L   300 mL
− 1 L   200 mL
   ☐ L ☐ mL

3
    5 L   830 mL
− 3 L   510 mL
   ☐ L ☐ mL

4
    6 L   400 mL
− 5 L   250 mL
   ☐ L ☐ mL

5
    9 L   150 mL
− 6 L   600 mL
   ☐ L ☐ mL

6
    9 L   100 mL
− 2 L   700 mL
   ☐ L ☐ mL

7
  13 L   200 mL
− 5 L   540 mL
   ☐ L ☐ mL

8
  16 L   720 mL
− 7 L   930 mL
   ☐ L ☐ mL

9
  24 L   280 mL
− 16 L   520 mL
   ☐ L ☐ mL

10
  16 L   350 mL
− 9 L   890 mL
   ☐ L ☐ mL

🐙 계산을 하세요.

11 3 L 430 mL−2 L 100 mL

12 9 L 800 mL−4 L 750 mL

13 8 L 750 mL−3 L 250 mL

14 6 L 840 mL−4 L 320 mL

15 7 L 960 mL−5 L 410 mL

16 4 L 970 mL−1 L 750 mL

17 5 L 350 mL−2 L 500 mL

18 7 L 510 mL−3 L 750 mL

19 5 L 90 mL−2 L 450 mL

20 15 L 180 mL−8 L 330 mL

21 7 L 470 mL−2 L 640 mL

22 8 L 310 mL−5 L 890 mL

23 13 L 20 mL−4 L 360 mL

24 29 L 240 mL−18 L 790 mL

5

무게

문제를 잘 읽고 요구하는 답이
무엇인지 꼼꼼히 살펴보자!

학습 결과와 시간을 써 보세요!

학습 내용	학습 회차	맞힌 개수/걸린 시간
1. g, kg, t 사이의 관계	DAY 01	/
	DAY 02	/
2. 받아올림이 없는 무게의 합	DAY 03	/
	DAY 04	/
3. 받아올림이 있는 무게의 합	DAY 05	/
	DAY 06	/
4. 받아내림이 없는 무게의 차	DAY 07	/
	DAY 08	/
5. 받아내림이 있는 무게의 차	DAY 09	/
	DAY 10	/
마무리 연산	DAY 11	/
	DAY 12	/

◎ 5단계 무게

1. g, kg, t 사이의 관계

● g, kg, t 사이의 관계

쓰기	1g	1kg	1t
읽기	1 그램	1 킬로그램	1 톤

1 kg=1000 g, 1 t=1000 kg

· 1 kg 300 g=1000 g+300 g=1300 g
· 1 t 500 kg=1000 kg+500 kg=1500 kg

1 g은 물 1 mL의 무게,
1 kg은 물 1 L의 무게,
1 t은 물 1000 L의 무게야!

🐙 ☐ 안에 알맞은 수를 써넣으세요.

1 3 kg= 3000 g

2 6000 g= ☐ kg

3 2 kg 700 g= ☐ g

4 43000 g= ☐ kg

5 5 t= ☐ kg

6 2000 kg= ☐ t

7 2 t 50 kg= ☐ kg

8 7700 kg= ☐ t ☐ kg

🐙 같은 무게가 되도록 ☐ 안에 알맞은 수를 써넣으세요.

9 2 kg = ☐ g

10 3000 g = ☐ kg

11 3 kg 500 g = ☐ g

12 4200 g = ☐ kg ☐ g

13 4 kg 900 g = ☐ g

14 5100 g = ☐ kg ☐ g

15 5 t 750 kg = ☐ kg

16 7000 kg = ☐ t

17 6 t 80 kg = ☐ kg

18 8400 kg = ☐ t ☐ kg

19 7 t 300 kg = ☐ kg

20 9090 kg = ☐ t ☐ kg

21 9 t 150 kg = ☐ kg

22 10010 kg = ☐ t ☐ kg

1. g, kg, t 사이의 관계

🐙 ☐ 안에 알맞은 수를 써넣으세요.

1 2 kg 100 g = ☐ g

2 3400 g = ☐ kg ☐ g

3 3 kg 800 g = ☐ g

4 4070 g = ☐ kg ☐ g

5 4 kg 550 g = ☐ g

6 6660 g = ☐ kg ☐ g

7 5 kg 90 g = ☐ g

8 7200 g = ☐ kg ☐ g

9 7 t 70 kg = ☐ kg

10 8005 kg = ☐ t ☐ kg

11 8 t 480 kg = ☐ kg

12 9500 kg = ☐ t ☐ kg

13 12 t 50 kg = ☐ kg

14 10100 kg = ☐ t ☐ kg

🐙 선을 따라 내려가서 같은 무게가 되도록 ☐ 안에 알맞은 수를 써넣으세요.

15

2 kg 400 g　　3 kg 770 g　　8 t 480 kg　　1 t 90 kg

☐ kg　　☐ kg　　☐ g　　☐ g

16

4050 g　　7300 g　　6009 kg　　5505 kg

☐ t ☐ kg　　☐ t ☐ kg　　☐ kg ☐ g　　☐ kg ☐ g

◎ 5단계 무게

2. 받아올림이 없는 무게의 합

예 2 kg 600 g+1 kg 200 g의 계산

$$
\begin{array}{r r r}
2 & kg & 600 & g \\
+\ 1 & kg & 200 & g \\
\hline
3 & kg & 800 & g
\end{array}
$$

g은 g끼리,
kg은 kg끼리 더해야 해!

🐙 □ 안에 알맞은 수를 써넣으세요.

1

$$
\begin{array}{r r r}
1 & kg & 100 & g \\
+\ 2 & kg & 400 & g \\
\hline
\boxed{3} & kg & \boxed{500} & g
\end{array}
$$

2

$$
\begin{array}{r r r}
2 & kg & 300 & g \\
+\ 3 & kg & 500 & g \\
\hline
\boxed{} & kg & \boxed{} & g
\end{array}
$$

3

$$
\begin{array}{r r r}
4 & kg & 200 & g \\
+\ 2 & kg & 200 & g \\
\hline
\boxed{} & kg & \boxed{} & g
\end{array}
$$

4

$$
\begin{array}{r r r}
5 & kg & 400 & g \\
+\ 3 & kg & 300 & g \\
\hline
\boxed{} & kg & \boxed{} & g
\end{array}
$$

5

$$
\begin{array}{r r r}
7 & kg & 500 & g \\
+\ 2 & kg & 100 & g \\
\hline
\boxed{} & kg & \boxed{} & g
\end{array}
$$

6

$$
\begin{array}{r r r}
8 & kg & 600 & g \\
+\ 1 & kg & 300 & g \\
\hline
\boxed{} & kg & \boxed{} & g
\end{array}
$$

🐙 계산을 하세요.

7
   1 kg　700 g
 + 3 kg　100 g

8
   2 kg　300 g
 + 4 kg　300 g

9
   4 kg　200 g
 + 4 kg　600 g

10
   5 kg　400 g
 + 2 kg　500 g

11
   7 kg　100 g
 + 1 kg　300 g

12
   8 kg　700 g
 + 5 kg　200 g

13
   11 kg　200 g
 + 6 kg　500 g

14
   13 kg　300 g
 + 5 kg　600 g

15
   15 kg　100 g
 + 3 kg　700 g

16
   16 kg　400 g
 + 2 kg　200 g

◎ 5단계 무게

2. 받아올림이 없는 무게의 합

🐙 계산을 하세요.

1 1 kg 200 g＋4 kg 700 g

2 6 kg 400 g＋2 kg 400 g

3 3 kg 200 g＋2 kg 300 g

4 4 kg 100 g＋3 kg 200 g

5 2 kg 300 g＋2 kg 400 g

6 8 kg 300 g＋11 kg 200 g

7 7 kg 590 g＋10 kg 210 g

8 9 kg 120 g＋10 kg 590 g

9 4 kg 130 g＋16 kg 690 g

10 10 kg 470 g＋4 kg 350 g

11 7 kg 250 g＋12 kg 480 g

12 13 kg 250 g＋5 kg 290 g

13 5 kg 440 g＋9 kg 360 g

14 8 kg 150 g＋4 kg 150 g

🐙 ☐ 안에 알맞은 수를 써넣으세요.

15   3 kg 230 g

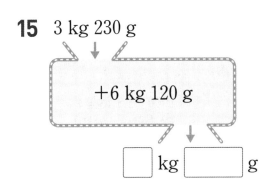

+6 kg 120 g

☐ kg ☐ g

16   4 kg 450 g

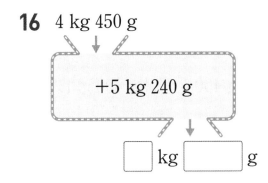

+5 kg 240 g

☐ kg ☐ g

17   5 kg 310 g

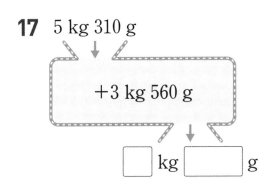

+3 kg 560 g

☐ kg ☐ g

18   2 kg 230 g

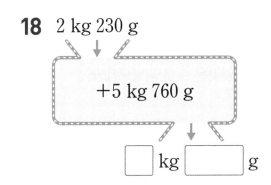

+5 kg 760 g

☐ kg ☐ g

19   9 kg 450 g

+1 kg 480 g

☐ kg ☐ g

20   14 kg 170 g

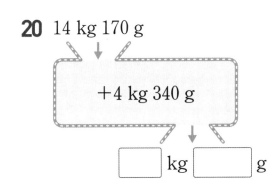

+4 kg 340 g

☐ kg ☐ g

21   4 kg 230 g

+4 kg 470 g

☐ kg ☐ g

22   12 kg 190 g

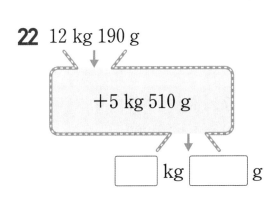

+5 kg 510 g

☐ kg ☐ g

DAY 05

◎ 5단계 무게

3. 받아올림이 있는 무게의 합

예 1 kg 400 g＋3 kg 800 g의 계산

```
        1
     1 kg   400 g
  +  3 kg   800 g
  ─────────────────
     5 kg   200 g
```

1000 g은 1 kg으로 받아올림하여 계산해!

🐙 ☐ 안에 알맞은 수를 써넣으세요.

1
```
      1
     1 kg    500  g
  +  2 kg    600  g
  ────────────────────
     4 kg    100  g
```

2
```
     ☐
     2 kg    300  g
  +  3 kg    900  g
  ────────────────────
     ☐ kg   ☐  g
```

3
```
     ☐
     4 kg    700  g
  +  2 kg    500  g
  ────────────────────
     ☐ kg   ☐  g
```

4
```
     ☐
     5 kg    700  g
  +  3 kg    600  g
  ────────────────────
     ☐ kg   ☐  g
```

5
```
     ☐
     7 kg    800  g
  +  3 kg    800  g
  ────────────────────
     ☐ kg   ☐  g
```

6
```
     ☐
     8 kg    500  g
  +  5 kg    700  g
  ────────────────────
     ☐ kg   ☐  g
```

🐙 계산을 하세요.

7
　　　2 kg　300 g
　+　4 kg　800 g
　───────────

8
　　　3 kg　600 g
　+　2 kg　600 g
　───────────

9
　　　5 kg　700 g
　+　1 kg　900 g
　───────────

10
　　　6 kg　800 g
　+　3 kg　500 g
　───────────

11
　　　8 kg　800 g
　+　7 kg　400 g
　───────────

12
　　　9 kg　900 g
　+　5 kg　700 g
　───────────

13
　　　12 kg　600 g
　+　　5 kg　900 g
　───────────

14
　　　4 kg　700 g
　+　11 kg　800 g
　───────────

15
　　　8 kg　500 g
　+　16 kg　800 g
　───────────

16
　　　11 kg　800 g
　+　14 kg　600 g
　───────────

5단계 무게

3. 받아올림이 있는 무게의 합

🐙 계산을 하세요.

1 1 kg 400 g+7 kg 900 g

2 6 kg 700 g+2 kg 500 g

3 3 kg 600 g+3 kg 700 g

4 7 kg 900 g+4 kg 200 g

5 5 kg 900 g+4 kg 900 g

6 1 kg 500 g+9 kg 750 g

7 5 kg 470 g+8 kg 650 g

8 7 kg 250 g+5 kg 800 g

9 9 kg 80 g+8 kg 930 g

10 2 kg 990 g+5 kg 640 g

11 3 kg 580 g+12 kg 720 g

12 8 kg 670 g+6 kg 590 g

13 4 kg 840 g+6 kg 390 g

14 9 kg 70 g+7 kg 980 g

🐙 빈 곳에 알맞은 무게의 합을 써넣으세요.

15
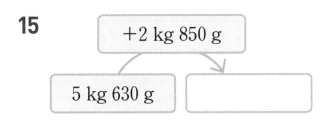
+2 kg 850 g
5 kg 630 g

16
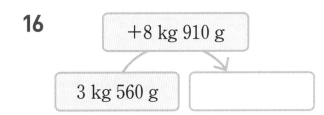
+8 kg 910 g
3 kg 560 g

17
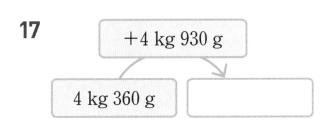
+4 kg 930 g
4 kg 360 g

18
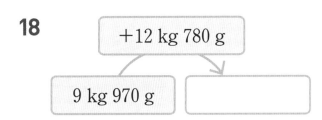
+12 kg 780 g
9 kg 970 g

19
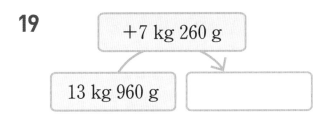
+7 kg 260 g
13 kg 960 g

20
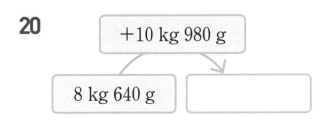
+10 kg 980 g
8 kg 640 g

21
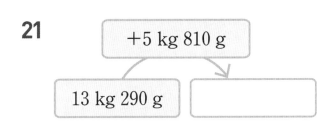
+5 kg 810 g
13 kg 290 g

22
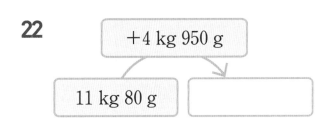
+4 kg 950 g
11 kg 80 g

💡 **생활 속 연산**

이레는 할머니네 밭에서 뽑은 배추와 무의 무게를 재어 보니 배추의 무게는 3 kg 470 g이고, 무의 무게는 6 kg 750 g이었습니다. 배추와 무의 무게의 합은 모두 몇 kg 몇 g인지 구하세요.

(　　　　　　　　　　　　)

◎ 5단계 무게

4. 받아내림이 없는 무게의 차

예 3 kg 200 g−2 kg 100 g의 계산

$$
\begin{array}{r}
3 \text{ kg } \ 200 \text{ g} \\
- \ 2 \text{ kg } \ 100 \text{ g} \\
\hline
1 \text{ kg } \ 100 \text{ g}
\end{array}
$$

g은 g끼리, kg은 kg끼리 빼야 해병

🐙 ☐ 안에 알맞은 수를 써넣으세요.

1
$$
\begin{array}{r}
3 \text{ kg } \quad 600 \text{ g} \\
- \ 2 \text{ kg } \quad 200 \text{ g} \\
\hline
\boxed{1} \text{ kg } \boxed{400} \text{ g}
\end{array}
$$

2
$$
\begin{array}{r}
4 \text{ kg } \quad 800 \text{ g} \\
- \ 2 \text{ kg } \quad 400 \text{ g} \\
\hline
\boxed{} \text{ kg } \boxed{} \text{ g}
\end{array}
$$

3
$$
\begin{array}{r}
5 \text{ kg } \quad 700 \text{ g} \\
- \ 2 \text{ kg } \quad 400 \text{ g} \\
\hline
\boxed{} \text{ kg } \boxed{} \text{ g}
\end{array}
$$

4
$$
\begin{array}{r}
6 \text{ kg } \quad 900 \text{ g} \\
- \ 4 \text{ kg } \quad 600 \text{ g} \\
\hline
\boxed{} \text{ kg } \boxed{} \text{ g}
\end{array}
$$

5
$$
\begin{array}{r}
7 \text{ kg } \quad 400 \text{ g} \\
- \ 3 \text{ kg } \quad 100 \text{ g} \\
\hline
\boxed{} \text{ kg } \boxed{} \text{ g}
\end{array}
$$

6
$$
\begin{array}{r}
8 \text{ kg } \quad 600 \text{ g} \\
- \ 5 \text{ kg } \quad 500 \text{ g} \\
\hline
\boxed{} \text{ kg } \boxed{} \text{ g}
\end{array}
$$

🐙 계산을 하세요.

7
$$\begin{array}{r} 2\ \text{kg}\ \ 300\ \text{g} \\ -\ 1\ \text{kg}\ \ 200\ \text{g} \\ \hline \end{array}$$

8
$$\begin{array}{r} 3\ \text{kg}\ \ 600\ \text{g} \\ -\ 2\ \text{kg}\ \ 300\ \text{g} \\ \hline \end{array}$$

9
$$\begin{array}{r} 6\ \text{kg}\ \ 800\ \text{g} \\ -\ 4\ \text{kg}\ \ 500\ \text{g} \\ \hline \end{array}$$

10
$$\begin{array}{r} 6\ \text{kg}\ \ 400\ \text{g} \\ -\ 3\ \text{kg}\ \ 200\ \text{g} \\ \hline \end{array}$$

11
$$\begin{array}{r} 8\ \text{kg}\ \ 900\ \text{g} \\ -\ 3\ \text{kg}\ \ 200\ \text{g} \\ \hline \end{array}$$

12
$$\begin{array}{r} 10\ \text{kg}\ \ 600\ \text{g} \\ -\ 7\ \text{kg}\ \ 400\ \text{g} \\ \hline \end{array}$$

13
$$\begin{array}{r} 12\ \text{kg}\ \ 800\ \text{g} \\ -\ 6\ \text{kg}\ \ 700\ \text{g} \\ \hline \end{array}$$

14
$$\begin{array}{r} 14\ \text{kg}\ \ 700\ \text{g} \\ -\ 4\ \text{kg}\ \ 200\ \text{g} \\ \hline \end{array}$$

15
$$\begin{array}{r} 18\ \text{kg}\ \ 600\ \text{g} \\ -\ 8\ \text{kg}\ \ 500\ \text{g} \\ \hline \end{array}$$

16
$$\begin{array}{r} 21\ \text{kg}\ \ 900\ \text{g} \\ -\ 10\ \text{kg}\ \ 300\ \text{g} \\ \hline \end{array}$$

5단계 무게

4. 받아내림이 없는 무게의 차

🐙 계산을 하세요.

1 3 kg 900 g−2 kg 800 g

2 5 kg 800 g−1 kg 300 g

3 8 kg 600 g−3 kg 350 g

4 7 kg 600 g−5 kg 100 g

5 8 kg 400 g−7 kg 300 g

6 9 kg 800 g−1 kg 200 g

7 9 kg 950 g−3 kg 550 g

8 11 kg 700 g−8 kg 520 g

9 13 kg 810 g−2 kg 640 g

10 15 kg 650 g−5 kg 380 g

11 6 kg 250 g−4 kg 190 g

12 9 kg 730 g−7 kg 540 g

13 14 kg 700 g−8 kg 210 g

14 6 kg 540 g−2 kg 280 g

🐙 ☐ 안에 알맞은 수를 써넣으세요.

15 3 kg 960 g

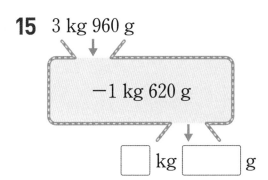

−1 kg 620 g

☐ kg ☐ g

16 6 kg 390 g

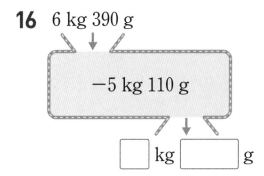

−5 kg 110 g

☐ kg ☐ g

17 4 kg 780 g

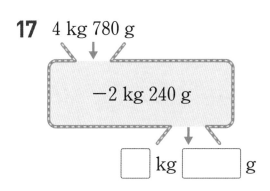

−2 kg 240 g

☐ kg ☐ g

18 8 kg 460 g

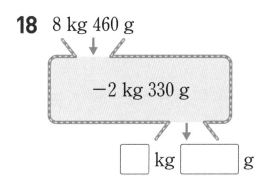

−2 kg 330 g

☐ kg ☐ g

19 9 kg 840 g

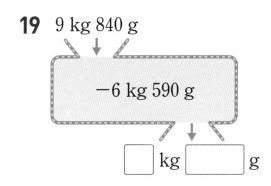

−6 kg 590 g

☐ kg ☐ g

20 10 kg 650 g

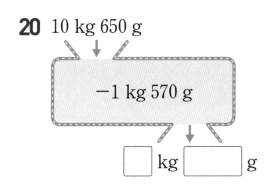

−1 kg 570 g

☐ kg ☐ g

21 15 kg 530 g

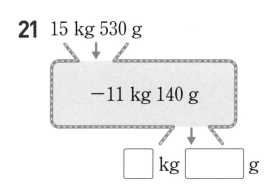

−11 kg 140 g

☐ kg ☐ g

22 8 kg 720 g

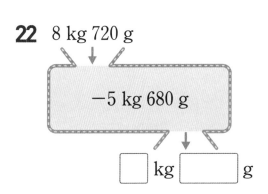

−5 kg 680 g

☐ kg ☐ g

◎ 5단계 무게

5. 받아내림이 있는 무게의 차

예 4 kg 400 g−1 kg 800 g의 계산

```
           3       1000
          4̶ kg    400 g
       −  1 kg    800 g
       ─────────────────
          2 kg    600 g
```

1 kg를 1000 g으로
받아내림하여 계산해!

🐙 ☐ 안에 알맞은 수를 써넣으세요.

1
```
    2          1000
    3̶  kg   100   g
 −  1  kg   900   g
 ───────────────────
    1  kg   200   g
```

2
```
    ☐          ☐
    4̶  kg   500   g
 −  2  kg   700   g
 ───────────────────
    ☐  kg   ☐     g
```

3
```
    ☐          ☐
    5̶  kg   600   g
 −  3  kg   800   g
 ───────────────────
    ☐  kg   ☐     g
```

4
```
    ☐          ☐
    6̶  kg   200   g
 −  2  kg   500   g
 ───────────────────
    ☐  kg   ☐     g
```

5
```
    ☐          ☐
    7̶  kg   300   g
 −  4  kg   700   g
 ───────────────────
    ☐  kg   ☐     g
```

6
```
    ☐          ☐
    9̶  kg   700   g
 −  5  kg   800   g
 ───────────────────
    ☐  kg   ☐     g
```

🐙 계산을 하세요.

7
$$\begin{array}{r} 5 \text{ kg } 100 \text{ g} \\ - 2 \text{ kg } 400 \text{ g} \\ \hline \end{array}$$

8
$$\begin{array}{r} 6 \text{ kg } 700 \text{ g} \\ - 3 \text{ kg } 900 \text{ g} \\ \hline \end{array}$$

9
$$\begin{array}{r} 8 \text{ kg } 300 \text{ g} \\ - 4 \text{ kg } 600 \text{ g} \\ \hline \end{array}$$

10
$$\begin{array}{r} 9 \text{ kg } 500 \text{ g} \\ - 3 \text{ kg } 800 \text{ g} \\ \hline \end{array}$$

11
$$\begin{array}{r} 10 \text{ kg } 800 \text{ g} \\ - 7 \text{ kg } 900 \text{ g} \\ \hline \end{array}$$

12
$$\begin{array}{r} 11 \text{ kg } 100 \text{ g} \\ - 6 \text{ kg } 300 \text{ g} \\ \hline \end{array}$$

13
$$\begin{array}{r} 13 \text{ kg } 200 \text{ g} \\ - 4 \text{ kg } 700 \text{ g} \\ \hline \end{array}$$

14
$$\begin{array}{r} 14 \text{ kg } 400 \text{ g} \\ - 6 \text{ kg } 600 \text{ g} \\ \hline \end{array}$$

15
$$\begin{array}{r} 18 \text{ kg } 100 \text{ g} \\ - 9 \text{ kg } 200 \text{ g} \\ \hline \end{array}$$

16
$$\begin{array}{r} 17 \text{ kg } 600 \text{ g} \\ - 8 \text{ kg } 700 \text{ g} \\ \hline \end{array}$$

5. 받아내림이 있는 무게의 차

🐙 계산을 하세요.

1 4 kg 600 g−1 kg 900 g

2 6 kg 100 g−4 kg 800 g

3 7 kg 400 g−3 kg 500 g

4 8 kg 200 g−1 kg 400 g

5 8 kg 300 g−5 kg 800 g

6 10 kg 150 g−4 kg 700 g

7 13 kg 750 g−7 kg 770 g

8 6 kg 500 g−2 kg 710 g

9 12 kg 320 g−9 kg 590 g

10 10 kg 250 g−1 kg 840 g

11 14 kg 170 g−6 kg 680 g

12 16 kg 330 g−8 kg 500 g

13 8 kg 170 g−5 kg 900 g

14 10 kg 610 g−3 kg 850 g

🐙 빈 곳에 알맞은 무게의 차를 써넣으세요.

15

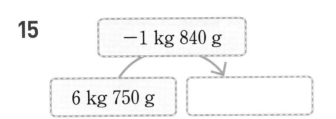

−1 kg 840 g

6 kg 750 g

16

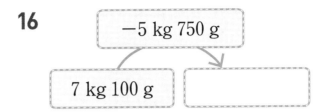

−5 kg 750 g

7 kg 100 g

17

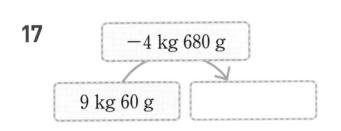

−4 kg 680 g

9 kg 60 g

18

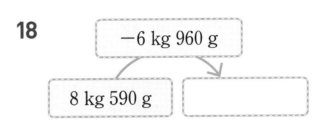

−6 kg 960 g

8 kg 590 g

19

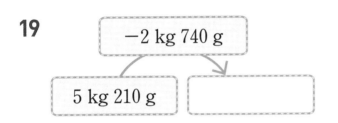

−2 kg 740 g

5 kg 210 g

20

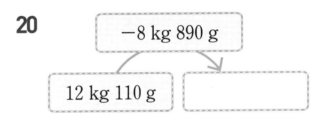

−8 kg 890 g

12 kg 110 g

21

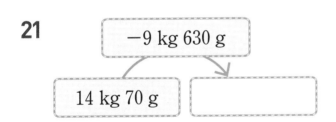

−9 kg 630 g

14 kg 70 g

22

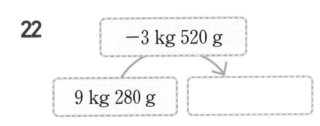

−3 kg 520 g

9 kg 280 g

💡 **생활 속 연산**

재아가 고양이를 안고 저울에 올라갔더니 21 kg 140 g이었습니다. 재아의 몸무게가 17 kg 590 g이라면 고양이의 무게는 몇 kg 몇 g인지 구하세요.

(　　　　　　　　　　　　)

⊙ 5단계 무게

마무리 연산

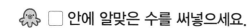 ☐ 안에 알맞은 수를 써넣으세요.

1

$$
\begin{array}{r}
1 \text{ kg} \quad 500 \text{ g} \\
+\ 8 \text{ kg} \quad 100 \text{ g} \\
\hline
\boxed{} \text{ kg} \quad \boxed{} \text{ g}
\end{array}
$$

2

$$
\begin{array}{r}
2 \text{ kg} \quad 400 \text{ g} \\
+\ 6 \text{ kg} \quad 500 \text{ g} \\
\hline
\boxed{} \text{ kg} \quad \boxed{} \text{ g}
\end{array}
$$

3

$$
\begin{array}{r}
4 \text{ kg} \quad 200 \text{ g} \\
+\ 3 \text{ kg} \quad 300 \text{ g} \\
\hline
\boxed{} \text{ kg} \quad \boxed{} \text{ g}
\end{array}
$$

4

$$
\begin{array}{r}
5 \text{ kg} \quad 250 \text{ g} \\
+\ 4 \text{ kg} \quad 450 \text{ g} \\
\hline
\boxed{} \text{ kg} \quad \boxed{} \text{ g}
\end{array}
$$

5

$$
\begin{array}{r}
9 \text{ kg} \quad 350 \text{ g} \\
+\ 10 \text{ kg} \quad 800 \text{ g} \\
\hline
\boxed{} \text{ kg} \quad \boxed{} \text{ g}
\end{array}
$$

6

$$
\begin{array}{r}
8 \text{ kg} \quad 550 \text{ g} \\
+\ 7 \text{ kg} \quad 650 \text{ g} \\
\hline
\boxed{} \text{ kg} \quad \boxed{} \text{ g}
\end{array}
$$

7

$$
\begin{array}{r}
10 \text{ kg} \quad 770 \text{ g} \\
+\ 4 \text{ kg} \quad 540 \text{ g} \\
\hline
\boxed{} \text{ kg} \quad \boxed{} \text{ g}
\end{array}
$$

8

$$
\begin{array}{r}
12 \text{ kg} \quad 490 \text{ g} \\
+\ 3 \text{ kg} \quad 700 \text{ g} \\
\hline
\boxed{} \text{ kg} \quad \boxed{} \text{ g}
\end{array}
$$

9

$$
\begin{array}{r}
24 \text{ kg} \quad 440 \text{ g} \\
+\ 9 \text{ kg} \quad 830 \text{ g} \\
\hline
\boxed{} \text{ kg} \quad \boxed{} \text{ 무}
\end{array}
$$

10

$$
\begin{array}{r}
28 \text{ kg} \quad 840 \text{ g} \\
+\ 8 \text{ kg} \quad 680 \text{ g} \\
\hline
\boxed{} \text{ kg} \quad \boxed{} \text{ g}
\end{array}
$$

🐙 계산을 하세요.

11 2 kg 590 g＋5 kg 400 g

12 5 kg 120 g＋7 kg 540 g

13 7 kg 280 g＋9 kg 520 g

14 3 kg 240 g＋6 kg 370 g

15 6 kg 750 g＋8 kg 170 g

16 4 kg 630 g＋4 kg 250 g

17 3 kg 610 g＋7 kg 740 g

18 7 kg 710 g＋3 kg 890 g

19 4 kg 840 g＋4 kg 390 g

20 7 kg 840 g＋5 kg 830 g

21 5 kg 230 g＋6 kg 930 g

22 9 kg 920 g＋8 kg 650 g

23 2 kg 750 g＋9 kg 570 g

24 6 kg 470 g＋10 kg 970 g

🎯 5단계 무게

마무리 연산

 ☐ 안에 알맞은 수를 써넣으세요.

1

$$\begin{array}{r} 2 \text{ kg} \quad 700 \text{ g} \\ - \quad 1 \text{ kg} \quad 100 \text{ g} \\ \hline \boxed{} \text{ kg} \quad \boxed{} \text{ g} \end{array}$$

2

$$\begin{array}{r} 3 \text{ kg} \quad 900 \text{ g} \\ - \quad 2 \text{ kg} \quad 700 \text{ g} \\ \hline \boxed{} \text{ kg} \quad \boxed{} \text{ g} \end{array}$$

3

$$\begin{array}{r} 5 \text{ kg} \quad 400 \text{ g} \\ - \quad 2 \text{ kg} \quad 250 \text{ g} \\ \hline \boxed{} \text{ kg} \quad \boxed{} \text{ g} \end{array}$$

4

$$\begin{array}{r} 7 \text{ kg} \quad 720 \text{ g} \\ - \quad 3 \text{ kg} \quad 480 \text{ g} \\ \hline \boxed{} \text{ kg} \quad \boxed{} \text{ g} \end{array}$$

5

$$\begin{array}{r} 11 \text{ kg} \quad 450 \text{ g} \\ - \quad 4 \text{ kg} \quad 750 \text{ g} \\ \hline \boxed{} \text{ kg} \quad \boxed{} \text{ g} \end{array}$$

6

$$\begin{array}{r} 9 \text{ kg} \quad 200 \text{ g} \\ - \quad 5 \text{ kg} \quad 600 \text{ g} \\ \hline \boxed{} \text{ kg} \quad \boxed{} \text{ g} \end{array}$$

7

$$\begin{array}{r} 15 \text{ kg} \quad 700 \text{ g} \\ - \quad 6 \text{ kg} \quad 900 \text{ g} \\ \hline \boxed{} \text{ kg} \quad \boxed{} \text{ g} \end{array}$$

8

$$\begin{array}{r} 9 \text{ kg} \quad 500 \text{ g} \\ - \quad 7 \text{ kg} \quad 600 \text{ g} \\ \hline \boxed{} \text{ kg} \quad \boxed{} \text{ g} \end{array}$$

9

$$\begin{array}{r} 9 \text{ kg} \quad 300 \text{ g} \\ - \quad 2 \text{ kg} \quad 600 \text{ g} \\ \hline \boxed{} \text{ kg} \quad \boxed{} \text{ g} \end{array}$$

10

$$\begin{array}{r} 20 \text{ kg} \quad 300 \text{ g} \\ - \quad 15 \text{ kg} \quad 900 \text{ g} \\ \hline \boxed{} \text{ kg} \quad \boxed{} \text{ g} \end{array}$$

🐙 계산을 하세요.

11 3 kg 910 g－1 kg 300 g

12 4 kg 430 g－3 kg 100 g

13 5 kg 790 g－4 kg 520 g

14 6 kg 810 g－2 kg 240 g

15 7 kg 720 g－3 kg 350 g

16 8 kg 910 g－5 kg 190 g

17 9 kg 340 g－7 kg 280 g

18 10 kg 550 g－5 kg 670 g

19 14 kg 170 g－8 kg 710 g

20 18 kg 430 g－9 kg 510 g

21 12 kg 270 g－6 kg 930 g

22 16 kg 390 g－7 kg 810 g

23 15 kg 630 g－8 kg 850 g

24 19 kg 170 g－9 kg 280 g

MEMO

MEMO

힘수 연산으로 수학 기초 체력 UP!

이제 정답을
확인하러 가 볼까?

힘이 붙는 **수학** 연산

정답

초등 3B

금성출판사

차례

정답

초등 3B

🎯 **1단계** 곱셈

DAY **01** 8~9쪽

1. 올림이 없는 (세 자리 수)×(한 자리 수)

1 228	**2** 366	**3** 284
4 428	**5** 884	**6** 486
7 602	**8** 936	**9** 682
10 505	**11** 444	**12** 282
13 408	**14** 639	**15** 464
16 622	**17** 963	**18** 666
19 808	**20** 822	**21** 824
22 846	**23** 860	**24** 886

DAY **02** 10~11쪽

1. 올림이 없는 (세 자리 수)×(한 자리 수)

1 303	**2** 660
3 399	**4** 280
5 609	**6** 848
7 448	**8** 693
9 906	**10** 624
11 969	**12** 990
13 828	**14** 864

15 **16** **17**

18 **19** **20**

생활 속 연산 408 g

DAY **03** 12~13쪽

2. 올림이 한 번 있는 (세 자리 수)×(한 자리 수)

1 452	**2** 375	**3** 294
4 864	**5** 672	**6** 616
7 650	**8** 838	**9** 872
10 525	**11** 472	**12** 378
13 270	**14** 278	**15** 292
16 812	**17** 654	**18** 892
19 942	**20** 951	**21** 652
22 834	**23** 876	**24** 890

DAY **04** 14~15쪽

2. 올림이 한 번 있는 (세 자리 수)×(한 자리 수)

1 600	**2** 524	**3** 546
4 928	**5** 528	**6** 742
7 728	**8** 900	**9** 966
10 846	**11** 459	**12** 368
13 780	**14** 819	**15** 873
16 702	**17** 748	**18** 786
19 904	**20** 924	**21** 942
22 960	**23** 968	**24** 984

DAY 05   16~17쪽
2. 올림이 한 번 있는 (세 자리 수)×(한 자리 수)

1 1248	**2** 1424	**3** 2550
4 1899	**5** 1608	**6** 4277
7 1046	**8** 4260	**9** 1284
10 1824	**11** 1539	**12** 1268
13 2080	**14** 1048	**15** 1860
16 1664	**17** 4055	**18** 2440
19 1680	**20** 1263	**21** 1084
22 1486	**23** 5499	**24** 3577

DAY 07   20~21쪽
3. 올림이 두 번 있는 (세 자리 수)×(한 자리 수)

1 438	**2** 750	**3** 920
4 1116	**5** 1810	**6** 3565
7 1584	**8** 3400	**9** 1966
10 972	**11** 910	**12** 936
13 1491	**14** 3696	**15** 1292
16 2772	**17** 6496	**18** 1094
19 2226	**20** 5397	**21** 3368
22 2619	**23** 7360	**24** 1924

DAY 06   18~19쪽
2. 올림이 한 번 있는 (세 자리 수)×(한 자리 수)

1 954	**2** 296
3 658	**4** 856
5 519	**6** 564
7 700	**8** 986
9 1082	**10** 1230
11 1866	**12** 1488
13 2769	**14** 1280
15 238	**16** 579
17 645	**18** 856
19 723	**20** 544
21 560	**22** 784
23 1860	**24** 1828

생활 속 연산 576명

DAY 08   22~23쪽
3. 올림이 두 번 있는 (세 자리 수)×(한 자리 수)

1 852	**2** 738
3 612	**4** 796
5 1287	**6** 2570
7 1698	**8** 4272
9 1530	**10** 1368
11 2255	**12** 1186
13 1788	**14** 5820
15 1292, 2016	**16** 970, 1966
17 885, 1852	**18** 1408, 2090
19 1636, 7560	**20** 772, 4585
21 392, 1308	**22** 2172, 777

4. 올림이 세 번 있는 (세 자리 수)×(한 자리 수)

1 2895	**2** 4674	**3** 1790
4 3408	**5** 1984	**6** 4592
7 3393	**8** 3315	**9** 3771
10 2976	**11** 2315	**12** 2022
13 2295	**14** 1394	**15** 5142
16 8208	**17** 1992	**18** 2925
19 1910	**20** 1728	**21** 2504
22 4640	**23** 4235	**24** 3738

4. 올림이 세 번 있는 (세 자리 수)×(한 자리 수)

1 2775	**2** 7624
3 1744	**4** 1980
5 1172	**6** 3104
7 5831	**8** 3490
9 1975	**10** 4296
11 2538	**12** 3038
13 1536	**14** 4671
15 3204	**16** 2224
17 2664	**18** 3245
19 4634	**20** 4275
21 6165	**22** 1011
23 5824	**24** 2330

생활 속 연산 5565명

5. (몇십)×(몇십)

1 800	**2** 2400
3 2500	**4** 2100
5 3000	**6** 6400
7 3200	**8** 6300
9 5600	**10** 4800
11 200	**12** 1000
13 1800	**14** 2100
15 1200	**16** 3000
17 4500	**18** 2400
19 4800	**20** 4900
21 6300	**22** 3500

5. (몇십)×(몇십)

1 200	**2** 700	**3** 900
4 1800	**5** 1500	**6** 1200
7 3000	**8** 2800	**9** 4500
10 1200	**11** 3000	**12** 6300
13 4900	**14** 3200	**15** 5600
16 100, 600		**17** 900, 1800
18 1600, 2400		**19** 1200, 4200
20 1400, 4200		**21** 3200, 6400
22 1500, 2700		**23** 8100, 7200

DAY 13　　32~33쪽

6. (몇십몇)×(몇십)

1 56, 560		**2** 62, 620	
3 126, 1260		**4** 265, 2650	
5 130, 1300		**6** 222, 2220	
7 486, 4860		**8** 644, 6440	
9 660		**10** 1840	
11 1120		**12** 1750	
13 1170		**14** 2820	
15 3220		**16** 1100	
17 3150		**18** 6390	
19 6240		**20** 3440	
21 1820		**22** 4950	

DAY 14　　34~35쪽

6. (몇십몇)×(몇십)

1 570	**2** 880	**3** 660
4 1440	**5** 2050	**6** 3760
7 1080	**8** 1770	**9** 3840
10 4760	**11** 2920	**12** 6750
13 6560	**14** 4400	**15** 5640

16 12×90=1080, 1080 g

17 23×70=1610, 1610 g

18 27×50=1350, 1350 g

19 94×60=5640, 5640 g

20 38×40=1520, 1520 g

21 56×80=4480, 4480 g

생활 속 연산 1080 g

DAY 15　　36~37쪽

7. (몇)×(몇십몇)

1
```
      2
×   6 5
    1 0
  1 2
  1 3 0
```

2
```
      3
×   4 7
    2 1
  1 2
  1 4 1
```

3
```
      4
×   3 8
    3 2
  1 2
  1 5 2
```

4
```
      4
×   7 2
      8
  2 8
  2 8 8
```

5
```
      5
×   5 3
    1 5
  2 5
  2 6 5
```

6
```
      6
×   2 4
    2 4
  1 2
  1 4 4
```

7 114	**8** 166	**9** 222
10 285	**11** 104	**12** 248
13 195	**14** 240	**15** 318
16 504	**17** 392	**18** 539
19 176	**20** 520	**21** 369

DAY 16　　38~39쪽

7. (몇)×(몇십몇)

1 76	**2** 201
3 184	**4** 212
5 345	**6** 355
7 192	**8** 276
9 189	**10** 315

11 352   **12** 408

13 234   **14** 342

15 92   **16** 190

17 159   **18** 328

19 273   **20** 648

21 405   **22** 504

DAY 17 40~41쪽

7. (몇)×(몇십몇)

1 58   **2** 144

3 108   **4** 256

5 275   **6** 162

7 486   **8** 410

9 455   **10** 297

11 651   **12** 384

13 760   **14** 171

15 48, 792   **16** 129, 496

17 148, 413   **18** 325, 198

19 336, 220   **20** 639, 300

21 238, 190   **22** 249, 310

DAY 18 42~43쪽

8. 올림이 한 번 있는 (몇십몇)×(몇십몇)

1
```
      1   2
  ×   1   8
      9   6
  1   2
  2   1   6
```

2
```
      2   1
  ×   3   6
  1   2   6
  6   3
  7   5   6
```

3
```
      1   4
  ×   2   4
      5   6
  2   8
  3   3   6
```

4
```
      3   1
  ×   2   9
  2   7   9
  6   2
  8   9   9
```

5
```
      4   2
  ×   2   3
  1   2   6
  8   4
  9   6   6
```

6
```
      6   0
  ×   1   5
  3   0   0
  6   0
  9   0   0
```

7 256   **8** 324   **9** 588

10 923   **11** 768   **12** 689

13 558   **14** 735   **15** 588

16 2542   **17** 2601   **18** 2232

19 1302   **20** 1643   **21** 3362

DAY 19 44~45쪽

8. 올림이 한 번 있는 (몇십몇)×(몇십몇)

1 216   **2** 468

3 552   **4** 559

5 567   **6** 697

7 728   **8** 949

9 775   **10** 779

11 2501   **12** 1344

13 2232   **14** 1764

15 533   **16** 204

17 552   **18** 312

19 1891   **20** 1376

21 576   **22** 1113

23 756   **24** 1764

DAY 20　46~47쪽

8. 올림이 한 번 있는 (몇십몇)×(몇십몇)

1 180		**2** 378	
3 338		**4** 377	
5 744		**6** 432	
7 588		**8** 765	
9 816		**10** 768	
11 936		**12** 1458	
13 1215		**14** 1128	
15 648		**16** 351	
17 1729		**18** 525	
19 312		**20** 738	
21 775		**22** 1512	

생활 속 연산　336 m

DAY 21　48~49쪽

9. 올림이 두 번 이상 있는 (몇십몇)×(몇십몇)

1

```
        1  5
   ×    3  2
        3  0
     4  5
     4  8  0
```

2

```
        2  5
   ×    4  3
        7  5
  1  0  0
  1  0  7  5
```

3

```
        4  7
   ×    5  4
     1  8  8
  2  3  5
  2  5  3  8
```

4

```
        5  4
   ×    2  3
     1  6  2
  1  0  8
  1  2  4  2
```

5

```
        6  3
   ×    5  2
     1  2  6
  3  1  5
  3  2  7  6
```

6

```
        9  2
   ×    3  8
     7  3  6
  2  7  6
  3  4  9  6
```

7 1222		**8** 1176		**9** 1736	
10 1760		**11** 2847		**12** 1656	
13 1431		**14** 2730		**15** 2736	
16 4104		**17** 5607		**18** 6696	
19 3312		**20** 2856		**21** 3564	

DAY 22　50~51쪽

9. 올림이 두 번 이상 있는 (몇십몇)×(몇십몇)

1 704		**2** 1288
3 1015		**4** 2178
5 1824		**6** 3528
7 4056		**8** 2052
9 5229		**10** 1742
11 5616		**12** 2407
13 1360		**14** 3255

15 1056		**16** 702		**17** 1247	
18 1190		**19** 4730		**20** 3139	
21 1156		**22** 8439		**23** 2072	
24 5084					

9. 올림이 두 번 이상 있는 (몇십몇)×(몇십몇)

1 1944		**2** 1320	
3 1044		**4** 1406	
5 1125		**6** 2279	
7 3074		**8** 1352	
9 3285		**10** 4030	
11 5376		**12** 7482	
13 5096		**14** 1824	

15 $35 \times 29 = 1015$, 1015 kcal

16 $95 \times 32 = 3040$, 3040 kcal

17 $42 \times 18 = 756$, 756 kcal

18 $89 \times 66 = 5874$, 5874 kcal

19 $98 \times 74 = 7252$, 7252 kcal

20 $85 \times 38 = 3230$, 3230 kcal

생활 속 연산 1976개

마무리 연산

1 244	**2** 696	**3** 966
4 670	**5** 452	**6** 459
7 702	**8** 1264	**9** 1539
10 785	**11** 1446	**12** 1296
13 2112	**14** 3576	**15** 7576
16 266	**17** 826	
18 644	**19** 759	
20 858	**21** 2169	
22 852	**23** 1680	
24 1455	**25** 770	
26 1482	**27** 2786	
28 4914	**29** 1431	

마무리 연산

1 900	**2** 1500	**3** 4900
4 2880	**5** 3300	**6** 1720
7 154	**8** 256	**9** 372
10 987	**11** 1323	**12** 1296
13 2368	**14** 4235	**15** 8170
16 400	**17** 1200	
18 5220	**19** 5360	
20 574	**21** 784	
22 775	**23** 854	
24 876	**25** 1365	
26 1566	**27** 3348	
28 2812	**29** 6336	

🎯 2단계 나눗셈

DAY 01
60~61쪽

1. 내림이 없는 (몇십)÷(몇)

1
```
      1 0
  2 ) 2 0
      2 0
        0
```

2
```
      1 0
  4 ) 4 0
      4 0
        0
```

3
```
      4 0
  2 ) 8 0
      8 0
        0
```

4
```
      3 0
  2 ) 6 0
      6 0
        0
```

5
```
      2 0
  4 ) 8 0
      8 0
        0
```

6
```
      1 0
  3 ) 3 0
      3 0
        0
```

7
```
      3 0
  3 ) 9 0
      9 0
        0
```

8
```
      2 0
  3 ) 6 0
      6 0
        0
```

9
```
      1 0
  5 ) 5 0
      5 0
        0
```

10 10   **11** 10   **12** 10

13 20   **14** 40   **15** 30

16 10   **17** 10   **18** 20

19 10   **20** 30   **21** 10

22 30   **23** 20   **24** 20

DAY 02
62~63쪽

1. 내림이 없는 (몇십)÷(몇)

1 10   **2** 10

3 10   **4** 10

5 20   **6** 20

7 10   **8** 30

9 10   **10** 20

11 40   **12** 10

13 10   **14** 30

15 10개   **16** 10개

17 20개   **18** 40개

19 20개   **20** 30개

21 20개   **22** 30개

DAY 03
64~65쪽

2. 내림이 있는 (몇십)÷(몇)

1
```
      2 5
  2 ) 5 0
      4
      1 0
      1 0
        0
```

2
```
      1 5
  4 ) 6 0
      4
      2 0
      2 0
        0
```

3
```
      1 4
  5 ) 7 0
      5
      2 0
      2 0
        0
```

4
```
      3 5
  2 ) 7 0
      6
      1 0
      1 0
        0
```

5
```
      1 5
  6 ) 9 0
      6
      3 0
      3 0
        0
```

6
```
      1 2
  5 ) 6 0
      5
      1 0
      1 0
        0
```

7 45	**8** 15	**9** 18
10 35	**11** 16	**12** 15
13 45	**14** 25	**15** 12
16 18	**17** 14	**18** 15
19 16	**20** 25	**21** 15

DAY 04 66~67쪽

2. 내림이 있는 (몇십)÷(몇)

1 15	**2** 25	**3** 15
4 35	**5** 16	**6** 12
7 45	**8** 14	**9** 18
10 15	**11** 25	**12** 16
13 14	**14** 45	**15** 25
16 15	**17** 14	**18** 15
19 16	**20** 18	**21** 45
22 35	**23** 12	**24** 15

DAY 05 68~69쪽

3. 내림이 없는 (몇십몇)÷(몇)

1
```
    1 2
2)2 4
  2
    4
    4
    0
```

2
```
    2 4
2)4 8
  4
    8
    8
    0
```

3
```
    3 2
3)9 6
  9
    6
    6
    0
```

4
```
    2 2
3)6 6
  6
    6
    6
    0
```

5
```
    2 1
4)8 4
  8
    4
    4
    0
```

6
```
    1 1
6)6 6
  6
    6
    6
    0
```

7 13	**8** 21	**9** 12
10 12	**11** 13	**12** 11
13 31	**14** 43	**15** 11
16 42	**17** 21	**18** 31
19 11	**20** 22	**21** 32

DAY 06 70~71쪽

3. 내림이 없는 (몇십몇)÷(몇)

1 12	**2** 14	**3** 11
4 12	**5** 21	**6** 22
7 23	**8** 32	**9** 22
10 11	**11** 41	**12** 43
13 31	**14** 11	**15** 13
16 13	**17** 12	**18** 31
19 21	**20** 21	**21** 22
22 32	**23** 41	**24** 22
25 32	**26** 11	

DAY 07

4. 내림이 있는 (몇십몇)÷(몇)

1
```
    1 8
2 ) 3 6
    2
    1 6
    1 6
      0
```

2
```
    1 4
4 ) 5 6
    4
    1 6
    1 6
      0
```

3
```
    1 3
5 ) 6 5
    5
    1 5
    1 5
      0
```

4
```
    3 6
2 ) 7 2
    6
    1 2
    1 2
      0
```

5
```
    2 7
3 ) 8 1
    6
    2 1
    2 1
      0
```

6
```
    1 6
6 ) 9 6
    6
    3 6
    3 6
      0
```

7 16 **8** 16 **9** 15

10 27 **11** 16 **12** 19

13 13 **14** 26 **15** 18

16 29 **17** 23 **18** 12

19 14 **20** 24 **21** 49

DAY 08

4. 내림이 있는 (몇십몇)÷(몇)

1 19 **2** 14

3 13 **4** 18

5 37 **6** 39

7 19 **8** 28

9 17 **10** 25

11 19 **12** 17

13 24 **14** 14

15 17, 17명 **16** 16, 16명

17 13, 13명 **18** 46, 46명

19 14, 14명 **20** 12, 12명

DAY 09

4. 내림이 있는 (몇십몇)÷(몇)

1 16 **2** 18

3 14 **4** 15

5 14 **6** 19

7 13 **8** 24

9 18 **10** 26

11 12 **12** 17

13 16 **14** 47

15 17, 36 **16** 16, 18

17 17, 19 **18** 15, 19

19 13, 14 **20** 13, 14

생활 속 연산 12개

5. 나머지가 있는 (몇십몇)÷(몇)(1)

1
```
      4
 4 ) 1 8
     1 6
         2
```
2
```
      4
 8 ) 3 5
     3 2
         3
```
3
```
      8
 6 ) 5 2
     4 8
         4
```

4
```
      8
 3 ) 2 6
     2 4
         2
```
5
```
      5
 9 ) 4 7
     4 5
         2
```
6
```
      7
 5 ) 3 9
     3 5
         4
```

7
```
      8
 7 ) 6 1
     5 6
         5
```
8
```
      9
 8 ) 7 4
     7 2
         2
```
9
```
      9
 9 ) 8 8
     8 1
         7
```

10 4⋯1 **11** 5⋯4 **12** 4⋯6

13 9⋯2 **14** 6⋯5 **15** 6⋯1

16 9⋯3 **17** 8⋯6 **18** 9⋯1

19 9⋯5 **20** 9⋯4 **21** 7⋯7

22 9⋯5 **23** 9⋯4 **24** 9⋯6

5. 나머지가 있는 (몇십몇)÷(몇)(1)

1 5⋯1 **2** 5⋯1

3 5⋯3 **4** 4⋯3

5 6⋯2 **6** 4⋯7

7 6⋯2 **8** 5⋯1

9 9⋯3 **10** 8⋯3

11 7⋯5 **12** 7⋯3

13 7⋯2 **14** 8⋯2

15 1, 6 **16** 2, 5

17 7, 2 **18** 6, 2

19 6, 1 **20** 8, 3

21 7, 6 **22** 8, 4

23 8, 1 **24** 8, 5

5. 나머지가 있는 (몇십몇)÷(몇)(1)

1 2⋯2 **2** 2⋯3

3 3⋯3 **4** 3⋯1

5 8⋯1 **6** 7⋯1

7 6⋯3 **8** 8⋯1

9 6⋯2 **10** 8⋯2

11 8⋯2 **12** 7⋯6

13 8⋯4 **14** 9⋯2

15 3, 3 / 8, 2 **16** 4, 5 / 8, 1

17 3, 4 / 7, 6 **18** 5, 7 / 5, 4

19 5, 7 / 9, 4 **20** 9, 2 / 5, 5

21 9, 1 / 8, 2 **22** 7, 3 / 9, 5

DAY 13 84~85쪽

6. 나머지가 있는 (몇십몇)÷(몇)(2)

1
```
    1 7
2 ) 3 5
    2
    1 5
    1 4
        1
```

2
```
    1 6
3 ) 4 9
    3
    1 9
    1 8
        1
```

3
```
    1 5
4 ) 6 3
    4
    2 3
    2 0
        3
```

4
```
    1 8
4 ) 7 4
    4
    3 4
    3 2
        2
```

5
```
    2 7
3 ) 8 2
    6
    2 2
    2 1
        1
```

6
```
    1 9
5 ) 9 8
    5
    4 8
    4 5
        3
```

7 $15\cdots1$　**8** $24\cdots2$　**9** $11\cdots3$

10 $28\cdots2$　**11** $12\cdots2$　**12** $22\cdots2$

13 $12\cdots1$　**14** $23\cdots3$　**15** $12\cdots2$

16 $17\cdots4$　**17** $11\cdots3$　**18** $48\cdots1$

19 $26\cdots1$　**20** $18\cdots3$　**21** $31\cdots1$

DAY 14 86~87쪽

6. 나머지가 있는 (몇십몇)÷(몇)(2)

1 $14\cdots1$　**2** $27\cdots1$

3 $10\cdots2$　**4** $21\cdots1$

5 $11\cdots2$　**6** $13\cdots3$

7 $12\cdots4$　**8** $16\cdots3$

9 $21\cdots2$　**10** $11\cdots1$

11 $16\cdots3$　**12** $14\cdots3$

13 $35\cdots1$　**14** $12\cdots3$

15
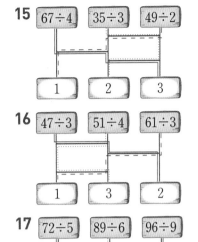

16

17

DAY 15 88~89쪽

6. 나머지가 있는 (몇십몇)÷(몇)(2)

1 $16\cdots1$　　**2** $11\cdots1$

3 $10\cdots2$　　**4** $21\cdots1$

5 $25\cdots1$　　**6** $13\cdots3$

7 $15\cdots2$　　**8** $32\cdots2$

9 $14\cdots4$　　**10** $12\cdots5$

11 $40\cdots1$　　**12** $10\cdots3$

13 $15\cdots2$　　**14** $21\cdots1$

15 12, 1　　**16** 11, 5

17 21, 1　　**18** 30, 1

19 10, 4　　**20** 14, 2

21 11, 2　　**22** 14, 2

생활 속 연산 11명, 4개

7. 나머지가 없는 (세 자리 수)÷(한 자리 수)

1
```
      1 0 0
  2 ) 2 0 0
      2
          0
```

2
```
      2 0 0
  3 ) 6 0 0
      6
          0
```

3
```
      3 0 0
  2 ) 6 0 0
      6
          0
```

4
```
      1 8 0
  2 ) 3 6 0
      2
      1 6
      1 6
          0
```

5
```
      1 7 0
  4 ) 6 8 0
      4
      2 8
      2 8
          0
```

6
```
      1 6 0
  2 ) 3 2 0
      2
      1 2
      1 2
          0
```

7 150   **8** 190   **9** 160

10 147   **11** 105   **12** 455

13 99   **14** 87   **15** 44

16 95   **17** 98   **18** 97

19 27   **20** 83   **21** 62

7. 나머지가 없는 (세 자리 수)÷(한 자리 수)

1 150   **2** 200

3 350   **4** 122

5 125   **6** 119

7 239   **8** 154

9 86   **10** 91

11 26   **12** 92

13 95   **14** 35

15 238   **16** 139

17 142   **18** 163

19 34   **20** 37

21 56   **22** 47

23 76   **24** 275

25 94   **26** 29

7. 나머지가 없는 (세 자리 수)÷(한 자리 수)

1 190   **2** 157

3 250   **4** 146

5 306   **6** 141

7 104   **8** 200

9 25   **10** 84

11 71   **12** 65

13 59   **14** 99

15 (위에서부터) 152, 114

16 (위에서부터) 96, 216

17 (위에서부터) 164, 82

18 (위에서부터) 156, 195

19 (위에서부터) 89, 267

20 (위에서부터) 475, 190

21 (위에서부터) 35, 45

22 (위에서부터) 32, 48

7 102…1

8 101…1

9 202…1

10 109…2

11 107…3

12 109…4

13 198…2

14 247…2

15 122…4

16 56…6

17 94…2

18 93…6

19 99…1

20 95…5

21 64…4

DAY 19

8. 나머지가 있는 (세 자리 수)÷(한 자리 수)

1
```
      2 0 2
  2 )4 0 5
    4
      5
      4
      1
```

2
```
      1 0 1
  6 )6 0 9
    6
        9
        6
        3
```

3
```
      1 0 5
  4 )4 2 3
    4
      2 3
      2 0
        3
```

4
```
      1 0 8
  7 )7 5 8
    7
        5 8
        5 6
          2
```

5
```
        6 8
  8 )5 4 5
    4 8
      6 5
      6 4
        1
```

6
```
        9 3
  9 )8 3 8
    8 1
        2 8
        2 7
          1
```

DAY 20

8. 나머지가 있는 (세 자리 수)÷(한 자리 수)

1 108…4

2 306…1

3 178…2

4 150…1

5 318…1

6 133…3

7 126…2

8 114…2

9 57…1

10 79…2

11 71…3

12 43…2

13 43…1

14 56…8

15 159÷4=39…3 / 39개, 3개

16 275÷9=30…5 / 30개, 5개

17 297÷6=49…3 / 49개, 3개

18 222÷9=24…6 / 24개, 6개

19 213÷8=26…5 / 26개, 5개

20 132÷5=26…2 / 26개, 2개

21 371÷9=41…2 / 41개, 2개

22 214÷8=26…6 / 26개, 6개

8. 나머지가 있는 (세 자리 수)÷(한 자리 수)

1 103…3		**2** 168…1	
3 174…3		**4** 151…1	
5 130…3		**6** 212…2	
7 113…5		**8** 43…2	
9 48…2		**10** 44…3	
11 59…4		**12** 42…4	
13 81…3		**14** 80…1	
15 128, 1 / 51, 2		**16** 46, 6 / 109, 1	
17 57, 7 / 115, 3		**18** 94, 5 / 284, 1	
19 216, 2 / 72, 2		**20** 141, 2 / 88, 3	

생활 속 연산 37명, 4장

마무리 연산

1 10	**2** 15	**3** 16
4 14	**5** 34	**6** 21
7 25	**8** 12	**9** 19
10 8…5	**11** 9…2	**12** 9…3
13 12…2	**14** 27…1	**15** 10…7
16 10	**17** 20	
18 14	**19** 15	
20 17	**21** 23	
22 12	**23** 29	
24 5…1	**25** 6…1	
26 14…2	**27** 13…3	
28 9…4	**29** 24…3	

마무리 연산

1 67	**2** 73	**3** 88
4 151	**5** 138	**6** 165
7 72…5	**8** 76…4	**9** 92…3
10 106…1	**11** 126…1	**12** 146…2
13 132…5	**14** 123…1	**15** 357…1
16 63	**17** 28	
18 152	**19** 129	
20 144	**21** 390	
22 71…3	**23** 99…8	
24 61…3	**25** 82…6	
26 149…1	**27** 247…1	
28 267…2	**29** 137…4	

🎯 3단계 분수

1. 진분수, 가분수, 대분수

1 진	2 가	3 대	4 진
5 가	6 진	7 대	8 가

9 (　)(○)(　)　10 (　)(　)(○)

11 (○)(　)(　)　12 (　)(○)(　)

13 (　)(　)(○)

1. 진분수, 가분수, 대분수

1 가	2 대	3 진	4 가
5 대	6 대	7 가	8 가
9 진	10 대	11 진	12 가

13 ⬭$\frac{7}{8}$ △$\frac{9}{4}$ ☐$1\frac{1}{5}$　14 ☐$2\frac{2}{3}$ △$\frac{7}{7}$ ⬭$\frac{3}{10}$

15 △$\frac{11}{10}$ ☐$2\frac{1}{2}$ ⬭$\frac{4}{6}$　16 ☐$3\frac{5}{7}$ ⬭$\frac{2}{9}$ △$\frac{7}{6}$

17 ☐$4\frac{5}{12}$ △$\frac{9}{8}$ ⬭$\frac{1}{11}$　18 ⬭$\frac{4}{10}$ ☐$6\frac{6}{7}$ △$\frac{14}{5}$

19 ⬭$\frac{5}{6}$ ☐$3\frac{1}{4}$ △$\frac{10}{7}$　20 △$\frac{12}{5}$ ⬭$\frac{6}{15}$ ☐$4\frac{7}{10}$

21 ⬭$\frac{1}{6}$ △$\frac{8}{3}$ ☐$2\frac{2}{3}$　22 ☐$3\frac{4}{9}$ ⬭$\frac{7}{10}$ △$\frac{6}{5}$

23 ☐$1\frac{4}{9}$ △$\frac{17}{15}$ ⬭$\frac{3}{10}$　24 △$\frac{8}{10}$ ☐$7\frac{3}{8}$ ⬭$\frac{13}{11}$

2. 가분수와 대분수

1 $\frac{11}{3}$	2 $\frac{17}{4}$	3 $\frac{12}{7}$
4 $\frac{21}{8}$	5 $\frac{33}{6}$	6 $\frac{38}{5}$
7 $\frac{35}{9}$	8 $\frac{38}{6}$	9 $\frac{49}{5}$
10 $\frac{65}{8}$	11 $\frac{23}{6}$	12 $\frac{44}{8}$

13 $\frac{19}{9}$	14 $\frac{4}{3}$
15 $\frac{23}{3}$	16 $\frac{19}{4}$
17 $\frac{27}{6}$	18 $\frac{52}{7}$
19 $\frac{28}{5}$	20 $\frac{20}{6}$
21 $\frac{52}{6}$	22 $\frac{12}{5}$

2. 가분수와 대분수

1 $4\frac{1}{2}$	2 $2\frac{4}{5}$	3 $2\frac{2}{9}$
4 $8\frac{1}{4}$	5 $3\frac{4}{7}$	6 $9\frac{2}{3}$
7 $15\frac{3}{4}$	8 $7\frac{6}{7}$	9 $25\frac{1}{2}$
10 $5\frac{4}{8}$	11 $5\frac{5}{9}$	12 $7\frac{2}{9}$

13 $7\frac{1}{4}$	14 $3\frac{4}{5}$
15 $6\frac{5}{8}$	16 $5\frac{5}{6}$
17 $3\frac{1}{5}$	18 $5\frac{4}{9}$
19 $3\frac{3}{7}$	20 $2\frac{2}{13}$
21 $1\frac{5}{9}$	22 $2\frac{3}{11}$

3. 두 분수의 크기 비교

1 >	**2** =	**3** >
4 >	**5** >	**6** <
7 =	**8** >	**9** >
10 <	**11** <	**12** >

13 $2\frac{2}{7}$에 색칠　　**14** $1\frac{2}{3}$에 색칠

15 $\frac{22}{13}$에 색칠　　**16** $\frac{9}{5}$에 색칠

17 $1\frac{4}{9}$에 색칠　　**18** $6\frac{2}{3}$에 색칠

19 $\frac{29}{6}$에 색칠　　**20** $2\frac{5}{7}$에 색칠

21 $\frac{24}{11}$에 색칠　　**22** $1\frac{5}{8}$에 색칠

3. 두 분수의 크기 비교

1 >	**2** <	**3** =
4 <	**5** =	**6** >
7 >	**8** <	**9** >
10 <	**11** <	**12** =
13 <	**14** =	**15** <
16 >	**17** <	**18** <

19 $\frac{14}{3}, \frac{8}{3}$　　**20** $\frac{23}{4}, 4\frac{3}{4}$

21 $\frac{25}{6}, 3\frac{1}{6}$　　**22** $\frac{33}{5}, \frac{31}{5}$

23 $\frac{36}{7}, 4\frac{3}{7}$　　**24** $\frac{49}{9}, \frac{46}{9}$

생활 속 연산　하은

마무리 연산

1 대	**2** 가
3 진	**4** 대
5 가	**6** 진

7 $\frac{21}{2}$	**8** $5\frac{3}{4}$	**9** $\frac{29}{3}$
10 $6\frac{4}{5}$	**11** $\frac{32}{11}$	**12** $6\frac{1}{6}$
13 $\frac{41}{9}$	**14** $5\frac{7}{8}$	**15** $\frac{50}{7}$
16 <	**17** <	**18** =
19 <	**20** =	**21** >
22 >	**23** >	**24** <
25 =	**26** >	**27** >
28 <	**29** <	**30** >
31 =	**32** >	**33** >

🎯 4단계 들이

DAY 01

1. mL와 L 사이의 관계

1 2000	**2** 4	**3** 1500
4 10	**5** 3700	**6** 6, 300
7 4070	**8** 10, 10	**9** 3000
10 5	**11** 2700	**12** 3, 500
13 4200	**14** 9, 300	**15** 2050
16 6, 150	**17** 5600	**18** 7, 400
19 9900	**20** 4, 9	**21** 7050
22 8, 800		

DAY 02

1. mL와 L 사이의 관계

1 1500	**2** 1, 900	**3** 2800
4 3, 300	**5** 3750	**6** 4, 100
7 8580	**8** 5, 600	**9** 7070
10 8, 2	**11** 2003	**12** 7, 90
13 6170	**14** 9, 444	

15

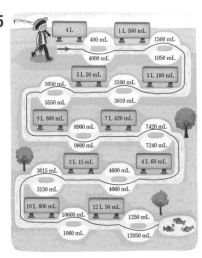

DAY 03

2. 받아올림이 없는 들이의 합

1 4, 500	**2** 4, 400
3 5, 900	**4** 7, 800
5 8, 800	**6** 9, 600
7 5 L 600 mL	**8** 7 L 850 mL
9 6 L 700 mL	**10** 9 L 700 mL
11 9 L 800 mL	**12** 18 L 500 mL
13 23 L 860 mL	**14** 23 L 600 mL
15 28 L 800 mL	**16** 28 L 600 mL

DAY 04

2. 받아올림이 없는 들이의 합

1 5 L 900 mL	**2** 3 L 600 mL
3 6 L 700 mL	**4** 8 L 850 mL
5 7 L 450 mL	**6** 7 L 750 mL
7 8 L 620 mL	**8** 19 L 730 mL
9 9 L 800 mL	**10** 9 L 390 mL
11 9 L 700 mL	**12** 9 L 710 mL
13 25 L 640 mL	**14** 24 L 610 mL
15 9, 550	**16** 9, 880
17 12, 690	**18** 18, 950
19 17, 350	**20** 14, 450
21 23, 410	**22** 14, 540

DAY 05 132~133쪽
3. 받아올림이 있는 들이의 합

1 1 / 6, 100		**2** 1 / 6, 300	
3 1 / 10, 50		**4** 1 / 8, 200	
5 1 / 10, 500		**6** 1 / 10, 150	
7 7 L 100 mL		**8** 7 L 300 mL	
9 10 L 400 mL		**10** 9 L 400 mL	
11 9 L 250 mL		**12** 11 L 800 mL	
13 17 L 700 mL		**14** 20 L 50 mL	
15 26 L 100 mL		**16** 31 L 100 mL	

DAY 06 134~135쪽
3. 받아올림이 있는 들이의 합

1 8 L 100 mL	**2** 7 L 200 mL
3 12 L 200 mL	**4** 13 L 100 mL
5 13 L 200 mL	**6** 12 L 200 mL
7 17 L 300 mL	**8** 8 L 400 mL
9 12 L 150 mL	**10** 15 L 440 mL
11 20 L 260 mL	**12** 18 L 210 mL
13 8 L 160 mL	**14** 25 L 320 mL
15 18 L 550 mL	**16** 24 L 10 mL
17 8 L 210 mL	**18** 13 L 540 mL
19 20 L 100 mL	**20** 12 L 340 mL
21 6 L 50 mL	**22** 22 L 160 mL

생활 속 연산 3 L 50 mL

DAY 07 136~137쪽
4. 받아내림이 없는 들이의 차

1 2, 100	**2** 2, 200
3 3, 400	**4** 7, 800
5 3, 400	**6** 3, 300
7 1 L 200 mL	**8** 3 L 460 mL
9 5 L 140 mL	**10** 5 L 400 mL
11 4 L 150 mL	**12** 4 L 350 mL
13 2 L 240 mL	**14** 7 L 130 mL
15 6 L 550 mL	**16** 9 L 190 mL

DAY 08 138~139쪽
4. 받아내림이 없는 들이의 차

1 1 L 700 mL	**2** 4 L 200 mL
3 4 L 600 mL	**4** 2 L 100 mL
5 5 L 500 mL	**6** 1 L 230 mL
7 5 L 150 mL	**8** 2 L 380 mL
9 1 L 160 mL	**10** 3 L 530 mL
11 1 L 330 mL	**12** 6 L 270 mL
13 2 L 130 mL	**14** 9 L 270 mL
15 6, 450	**16** 2, 420
17 2, 420	**18** 2, 350
19 6, 150	**20** 4, 680
21 7, 170	**22** 9, 50

DAY 09

5. 받아내림이 있는 들이의 차

1 2, 1000 / 1, 700 **2** 3, 1000 / 1, 300

3 5, 1000 / 3, 900 **4** 6, 1000 / 2, 400

5 8, 1000 / 7, 800 **6** 9, 1000 / 4, 600

7 2 L 300 mL **8** 2 L 800 mL

9 1 L 700 mL **10** 4 L 900 mL

11 2 L 500 mL **12** 2 L 600 mL

13 7 L 600 mL **14** 5 L 900 mL

15 12 L 700 mL **16** 9 L 900 mL

DAY 10

5. 받아내림이 있는 들이의 차

1 3 L 200 mL **2** 4 L 900 mL

3 3 L 500 mL **4** 5 L 300 mL

5 1 L 850 mL **6** 3 L 350 mL

7 5 L 570 mL **8** 3 L 890 mL

9 3 L 720 mL **10** 4 L 780 mL

11 5 L 460 mL **12** 9 L 580 mL

13 6 L 940 mL **14** 4 L 640 mL

15 5 L 430 mL **16** 4 L 460 mL

17 4 L 650 mL **18** 7 L 650 mL

19 3 L 950 mL **20** 8 L 890 mL

21 3 L 660 mL **22** 9 L 950 mL

생활 속 연산 1 L 450 mL

DAY 11

마무리 연산

1 8, 900 **2** 7, 600

3 11, 700 **4** 10, 510

5 13, 410 **6** 13, 50

7 19, 500 **8** 21, 620

9 30, 100 **10** 33, 150

11 6 L 950 mL **12** 8 L 770 mL

13 10 L 850 mL **14** 12 L 690 mL

15 5 L 610 mL **16** 17 L 740 mL

17 10 L 500 mL **18** 13 L 150 mL

19 9 L 720 mL **20** 12 L 70 mL

21 15 L 340 mL **22** 21 L 200 mL

23 18 L 700 mL **24** 13 L 50 mL

DAY 12

마무리 연산

1 1, 800 **2** 2, 100

3 2, 320 **4** 1, 150

5 2, 550 **6** 6, 400

7 7, 660 **8** 8, 790

9 7, 760 **10** 6, 460

11 1 L 330 mL **12** 5 L 50 mL

13 5 L 500 mL **14** 2 L 520 mL

15 2 L 550 mL **16** 3 L 220 mL

17 2 L 850 mL **18** 3 L 760 mL

19 2 L 640 mL **20** 6 L 850 mL

21 4 L 830 mL **22** 2 L 420 mL

23 8 L 660 mL **24** 10 L 450 mL

◎5단계 무게

1. g, kg, t 사이의 관계

1 3000		**2** 6	
3 2700		**4** 43	
5 5000		**6** 2	
7 2050		**8** 7, 700	
9 2000		**10** 3	
11 3500		**12** 4, 200	
13 4900		**14** 5, 100	
15 5750		**16** 7	
17 6080		**18** 8, 400	
19 7300		**20** 9, 90	
21 9150		**22** 10, 10	

1. g, kg, t 사이의 관계

1 2100		**2** 3, 400	
3 3800		**4** 4, 70	
5 4550		**6** 6, 660	
7 5090		**8** 7, 200	
9 7070		**10** 8, 5	
11 8480		**12** 9, 500	
13 12050		**14** 10, 100	

15 8480 / 1090 / 3770 / 2400

16 5, 505 / 6, 9 / 4, 50 / 7, 300

2. 받아올림이 없는 무게의 합

1 3, 500		**2** 5, 800	
3 6, 400		**4** 8, 700	
5 9, 600		**6** 9, 900	
7 4 kg 800 g		**8** 6 kg 600 g	
9 8 kg 800 g		**10** 7 kg 900 g	
11 8 kg 400 g		**12** 13 kg 900 g	
13 17 kg 700 g		**14** 18 kg 900 g	
15 18 kg 800 g		**16** 18 kg 600 g	

2. 받아올림이 없는 무게의 합

1 5 kg 900 g		**2** 8 kg 800 g	
3 5 kg 500 g		**4** 7 kg 300 g	
5 4 kg 700 g		**6** 19 kg 500 g	
7 17 kg 800 g		**8** 19 kg 710 g	
9 20 kg 820 g		**10** 14 kg 820 g	
11 19 kg 730 g		**12** 18 kg 540 g	
13 14 kg 800 g		**14** 12 kg 300 g	
15 9, 350		**16** 9, 690	
17 8, 870		**18** 7, 990	
19 10, 930		**20** 18, 510	
21 8, 700		**22** 17, 700	

DAY 05 ▶ 158~159쪽

3. 받아올림이 있는 무게의 합

1 1 / 4, 100 **2** 1 / 6, 200

3 1 / 7, 200 **4** 1 / 9, 300

5 1 / 11, 600 **6** 1 / 14, 200

7 7 kg 100 g **8** 6 kg 200 g

9 7 kg 600 g **10** 10 kg 300 g

11 16 kg 200 g **12** 15 kg 600 g

13 18 kg 500 g **14** 16 kg 500 g

15 25 kg 300 g **16** 26 kg 400 g

DAY 06 ▶ 160~161쪽

3. 받아올림이 있는 무게의 합

1 9 kg 300 g **2** 9 kg 200 g

3 7 kg 300 g **4** 12 kg 100 g

5 10 kg 800 g **6** 11 kg 250 g

7 14 kg 120 g **8** 13 kg 50 g

9 18 kg 10 g **10** 8 kg 630 g

11 16 kg 300 g **12** 15 kg 260 g

13 11 kg 230 g **14** 17 kg 50 g

15 8 kg 480 g **16** 12 kg 470 g

17 9 kg 290 g **18** 22 kg 750 g

19 21 kg 220 g **20** 19 kg 620 g

21 19 kg 100 g **22** 16 kg 30 g

생활 속 연산 10 kg 220 g

DAY 07 ▶ 162~163쪽

4. 받아내림이 없는 무게의 차

1 1, 400 **2** 2, 400

3 3, 300 **4** 2, 300

5 4, 300 **6** 3, 100

7 1 kg 100 g **8** 1 kg 300 g

9 2 kg 300 g **10** 3 kg 200 g

11 5 kg 700 g **12** 3 kg 200 g

13 6 kg 100 g **14** 10 kg 500 g

15 10 kg 100 g **16** 11 kg 600 g

DAY 08 ▶ 164~165쪽

4. 받아내림이 없는 무게의 차

1 1 kg 100 g **2** 4 kg 500 g

3 5 kg 250 g **4** 2 kg 500 g

5 1 kg 100 g **6** 8 kg 600 g

7 6 kg 400 g **8** 3 kg 180 g

9 11 kg 170 g **10** 10 kg 270 g

11 2 kg 60 g **12** 2 kg 190 g

13 6 kg 490 g **14** 4 kg 260 g

15 2, 340 **16** 1, 280

17 2, 540 **18** 6, 130

19 3, 250 **20** 9, 80

21 4, 390 **22** 3, 40

DAY 09

5. 받아내림이 있는 무게의 차

1 2, 1000 / 1, 200	**2** 3, 1000 / 1, 800
3 4, 1000 / 1, 800	**4** 5, 1000 / 3, 700
5 6, 1000 / 2, 600	**6** 8, 1000 / 3, 900
7 2 kg 700 g	**8** 2 kg 800 g
9 3 kg 700 g	**10** 5 kg 700 g
11 2 kg 900 g	**12** 4 kg 800 g
13 8 kg 500 g	**14** 7 kg 800 g
15 8 kg 900 g	**16** 8 kg 900 g

DAY 10

5. 받아내림이 있는 무게의 차

1 2 kg 700 g	**2** 1 kg 300 g
3 3 kg 900 g	**4** 6 kg 800 g
5 2 kg 500 g	**6** 5 kg 450 g
7 5 kg 980 g	**8** 3 kg 790 g
9 2 kg 730 g	**10** 8 kg 410 g
11 7 kg 490 g	**12** 7 kg 830 g
13 2 kg 270 g	**14** 6 kg 760 g
15 4 kg 910 g	**16** 1 kg 350 g
17 4 kg 380 g	**18** 1 kg 630 g
19 2 kg 470 g	**20** 3 kg 220 g
21 4 kg 440 g	**22** 5 kg 760 g

생활 속 연산 3 kg 550 g

DAY 11

마무리 연산

1 9, 600	**2** 8, 900
3 7, 500	**4** 9, 700
5 20, 150	**6** 16, 200
7 15, 310	**8** 16, 190
9 34, 270	**10** 37, 520
11 7 kg 990 g	**12** 12 kg 660 g
13 16 kg 800 g	**14** 9 kg 610 g
15 14 kg 920 g	**16** 8 kg 880 g
17 11 kg 350 g	**18** 11 kg 600 g
19 9 kg 230 g	**20** 13 kg 670 g
21 12 kg 160 g	**22** 18 kg 570 g
23 12 kg 320 g	**24** 17 kg 440 g

DAY 12

마무리 연산

1 1, 600	**2** 1, 200
3 3, 150	**4** 4, 240
5 6, 700	**6** 3, 600
7 8, 800	**8** 1, 900
9 6, 700	**10** 4, 400
11 2 kg 610 g	**12** 1 kg 330 g
13 1 kg 270 g	**14** 4 kg 570 g
15 4 kg 370 g	**16** 3 kg 720 g
17 2 kg 60 g	**18** 4 kg 880 g
19 5 kg 460 g	**20** 8 kg 920 g
21 5 kg 340 g	**22** 8 kg 580 g
23 6 kg 780 g	**24** 9 kg 890 g

힘이 붙는 수학

연산

초등 **3B**

힘이
붙는
수학
연산

힘이 붙는 **수학** 연산